Вячеслав Брылов работал шеф-поваром ресторана гостиницы «Садовое кольцо». Возглавлял кухню ресторанов отелей «Савой» и «Националь» • *стр. 44*

Сергей Ерошенко — шеф-повар развлекательного комплекса «Волен», участник Национального отборочного тура международного конкурса поваров высокой кухни «Золотой Бокюз», победитель в номинации «Золотая сковорода» • *стр. 46*

Франсуа Кантен работал шеф-поваром ресторана «Поло Клуб» в отеле «Марриотт Ройал Аврора» • *стр. 48*

Сави Кендел работал шеф-поваром ресторана «Аист» (Россия). Окончил институт Ferm Moovepick Intercontinental • *стр. 52*

Сергей Векшин — шеф-повар ресторана GQ Bar • *стр. 54*

Олег Жуков — шеф-повар ресторана Maisoncafe • *стр. 58*

Кирилл Кармалов — шеф-повар ресторана «Бокончино». Работал в ресторанах «Камертон», «Гранд Отель Марриотт», «Кафе Метрополис» (Россия), а также в ресторане «Ла Барка» (Италия) • *стр. 60*

Ирина Андрюнина — шеф-повар ресторана «Палаццо Дукале» • *стр. 61, 62, 64*

Алена Князева работала шеф-поваром кафе Fauchon • *стр. 63*

Жером Кустийас — шеф-повар ресторана La Colline. Работал шеф-поваром ресторана La Voile (Россия), в ресторанах Armes de France, в отеле Metropole, отмечен в справочнике Gault Millau • *стр. 66*

Мария Мако ром рестора

Татьяна Филиппова работала шеф-кондитером ресторана отеля «Шератон Палас» • *стр. 69, 70, 71, 72*

Вера Хромова работала шеф-кондитером кафе «Прадо» • *стр. 74, 76*

Вольфганг Вагенлайтнер работал шеф-кондитером ресторанов сети отелей «Марриотт» • *стр. 78*

Гийом Жоли — шеф-повар Ararat Hyatt Hotel Moscow. Работал шеф-поваром ресторана Zebra Square • *стр. 80*

Елена Кожухова — шеф-кондитер Sheraton Palace Hotel (Москва). Работала шеф-кондитером кафе L'etranger • *стр. 82, 84, 86, 87*

Ричард Нит работал шеф-поваром ресторана «Снобс» • *стр. 90*

Пьер Луиджи Тротта и Жан Люк Вассер работали шеф-поваром и шеф-кодитером ресторана отеля «Ренессанс» (Москва) • *стр. 92, 93*

Эрик Мопен работал шеф-поваром Korston Hotel&Casino Moscow. Окончил Ecole Hoteliere de Paris, имеет многолетний опыт работы в ОАЭ, Великобритании, готовил для Президентов России, Республики Беларусь, США, звезд кино и эстрады • *стр. 94*

Готовим
блюда из фруктов и ягод

Издательский дом
Ресторанные
ведомости

аст • **АСТРЕЛЬ**
ИЗДАТЕЛЬСТВО

Москва

УДК 641
ББК 36.997
 Г74

Оформление дизайн-студии «Три кота»

Готовим блюда из фруктов и ягод. — М.: Астрель: АСТ: Ресторанные ведомости,
Г74 2011. — 96 с.: ил.

ISBN 978-5-17-074779-5 (ООО «Издательство АСТ»)
ISBN 978-5-271-35885-2 (ООО «Издательство Астрель»)

Рецепты, собранные в этой книге, позволяют читателям по-новому взглянуть на приготовление блюд из таких широко распространенных продуктов, как фрукты и ягоды. Необычные идеи, оригинальные вкусовые сочетания, авторские находки знаменитых шеф-поваров помогут превратить собранный на даче урожай в настоящий гастрономический праздник.

Все представленные блюда несложно приготовить на домашней кухне, многие из них сопровождаются иллюстрированными мастер-классами.

УДК 641
ББК 36.997

СОДЕРЖАНИЕ

Шеф-повар **Антонио БАРАТТО**

СИЦИЛИЙСКИЙ САЛАТ

ИНГРЕДИЕНТЫ, г

Фенхель	**155**	Укроп	**1**
Апельсин свежий	**60**	Масло оливковое	**30**
Соль	**по вкусу**	Сок апельсина свежевыжатый	**10**
Кальмары очищенные	**70**	Сок лимона свежевыжатый	**5**
Креветки розовые (очищенные)	**40**	Перец душистый	**0,3**
Помидоры	**75**		

КАК ГОТОВИТЬ

- Фенхель освободить от верхних листьев, нарезать дольками (115 г) и на слайсере тонкими пластинками (40 г) **1**, **2**.
- Апельсин очистить от кожуры и разделить на дольки, освободив его от пленок **3**, **4**.
- В кипящую подсоленную воду положить подготовленных кальмаров, дольки фенхеля и дать закипеть. Добавить очищенных креветок и сразу слить воду **5**.
- Помидоры опустить на минуту в кипяток, очистить от кожицы, разрезать на дольки **6**.

- Укроп порубить, удалив толстые части стебля. Бланшированный фенхель и морепродукты заправить оливковым маслом, свежевыжатым соком апельсина и лимона, солью, душистым перцем. Добавить дольки апельсина и помидора, посыпать рубленым укропом. Все перемешать **7**.
- На тарелке разместить по кругу пластинки тонко нарезанного на слайсере фенхеля, а сверху — готовый салат **8**.

Название салата говорит о его происхождении. Это традиционное средиземноморское блюдо представляет собой замечательный баланс: креветки, кальмары и освежающие цитрусы. К этому классическому сочетанию я добавил далеко не везде распространенный овощ — фенхель. Его сладковато-пряные листики обладают приятным запахом, в котором ощущаются ароматы укропа и аниса. Он придает более утонченный вкус салатам, заправкам, маринадам, супам, выступая в качестве составляющего компонента. Кроме листьев в кулинарии активно используют и клубни фенхеля, которые можно сочетать с рыбой, птицей и свининой.

Шеф-повар **Денис СИДОРКИН**

САЛАТ «БЛЭМБЭРРИ»

ИНГРЕДИЕНТЫ, г

Папайя свежая	**25**	Соль морская	**по вкусу**
Груша свежая	**25**	Перец черный горошком	**по вкусу**
Ежевика свежая	**33**	Соус «Бальзамик» выпаренный	**5**
Сыр горгонзола	**35**	Базилик зеленый (листики)	**2**
Листья салата-микс	**40**	Лук-сибулет	**2**
Масло оливковое	**8**		
Мед цветочный	**5**		
Уксус бальзамический	**5**		

КАК ГОТОВИТЬ

- Папайю очистить от кожуры и семян ❶.
- Нарезать тонкой соломкой ❷.
- Грушу очистить от кожуры и семян, нарезать тонкими кружками ❸.
- Ежевику порезать пополам ❹.
- Сыр горгонзола нарезать ровными кубиками ❺.
- Листья салата-микс хорошо промыть, порвать руками, уложить в миску и полить заправкой из оливкового масла, цветочного меда и бальзамического уксуса ❻.
- Все подготовленные ингредиенты перемешать с салатом-микс, посолить, заправить свежемолотым перцем ❼.
- На блюдо, декорированное выпаренным «Бальзамиком», выложить салат. Украсить листиками зеленого базилика и луком-сибулетом ❽.

В этом чрезвычайно легком летнем салате использован экзотический фрукт — папайя. Выращивается он в Таиланде, содержит много необходимых организму витаминов и очень полезен. Уникальность этого фрукта в том, что его можно есть в чистом виде, слегка сбрызнув соком лайма, как это делают в Таиланде и других тропических странах, а можно использовать при приготовлении различных блюд. Например, зеленую папайю употребляют как овощ, добавляя в супы с креветками или рыбой, к тушеному мясу, применяют как начинку для пирожков или делая чатни. Недозревшую папайю также фаршируют рисом, мясом и запекают в духовке с добавлением специй. Спелый плод папайи с ее великолепным вкусом незаменим в салатах, так как прекрасно сочетается со свежими листьями, овощами, фруктами, ягодами, сыром, яйцами, морепродуктами, чесноком и различными приправами.

Шеф-повар
Роман САЙФУР

САЛАТ «ТРОПИЧЕСКИЙ»

ИНГРЕДИЕНТЫ, г

Манго	**50**
Авокадо	**50**
Дыня	**50**
Папайя	**50**
Кумкват	**15**
Салат-микс	**110**
Цикорий	**20**
Карамбола	**20**
Физалис	**1 шт.**
Соус «Манго»	**80**

Салат-микс

Салат айсберг	**20**
Салат руккола	**20**
Салат радичио	**20**
Салат корн	**20**
Салат лоло-росса	**20**
Базилик	**5**
Мята	**5**

Соус «Манго»

Пюре манго	**70**
Сок лайма	**10**
Соль морская	**1**

КАК ГОТОВИТЬ

- Манго, авокадо, дыню, папайю, кумкват нарезать кубиками.
- На тарелку выложить салат-микс, все вышеперечисленные ингредиенты и листья цикория.
- Украсить карамболой и физалисом.
- Отдельно подать соус «Манго».

Салат-микс

- Листья салатов порвать и перемешать с нарезанными базиликом и мятой.

Соус «Манго»

- Пюре манго смешать с соком лайма.
- Довести до вкуса солью.

Шеф-повар
Роман САЙФУР

САЛАТ «САЛЬСА»

ИНГРЕДИЕНТЫ, г

Перец болгарский	40
Огурцы	40
Помидоры черри	40
Манго	40
Салат айсберг	30
Перец чили	10
Сок лайма	10
Масло горчичное	10
Соль	1
Начос	4 шт.
Карамбола	20

КАК ГОТОВИТЬ

- Перец, огурцы, помидоры и манго нарезать кубиками.
- Порвать листья айсберга.
- Перец чили (без семян) мелко нарубить.
- Все смешать и добавить сок лайма, горчичное масло и соль.
- Украсить начосами и карамболой.

Шеф-повар
Милле МИКИЧ

САЛАТ ОТ ШЕФА С ТИГРОВЫМИ КРЕВЕТКАМИ

ИНГРЕДИЕНТЫ, г

Креветки тигровые	35
Масло сливочное	10
Чеснок	2
Карри	1
Шампиньоны	20
Авокадо	20
Лук-шалот	7
Перец красный чили	1
Масло оливковое	15
Сыр пармезан	25
Уксус бальзамический	5
Майонез	7
Соль	по вкусу
Перец черный молотый	по вкусу
Салат фризе	30
Салат лоло-росса	30
Салат радичио	10
Салат романо	20
Орегано	1
Сухарики из белого хлеба	10
Клубника	20

КАК ГОТОВИТЬ

- Поджарить очищенных креветок в сливочном масле с чесноком (1 г) и карри.
- Порезать шампиньоны, авокадо, лук-шалот, перец чили, добавить оливковое масло (10 г), пармезан, бальзамический уксус, майонез, соль, перец.
- Добавить нарезанные салаты и перемешать. Смесь выложить в декоративную баночку и подать на тарелке.

- Украсить креветками, орегано, чесноком (1 г) и сухариками из белого хлеба, поджаренными до золотистой корочки на сковороде с оливковым маслом (5 г).
- Декорировать блюдо клубникой.

Шеф-повар
Дольф МИХЕЛЬ

САЛАТ ИЗ СЕЛЬДЕРЕЯ И ЯБЛОК

ИНГРЕДИЕНТЫ, г

Сельдерей зеленый	80
Яблоки	80
Салат радичио	25
Масло оливковое	15
Соль	по вкусу
Перец белый горошком	по вкусу
Приправа «Аромат»	2
Сок лимона	35
Салат латук	10
Салат айсберг	10
Помидоры черри	15
Лук-резанец	2

КАК ГОТОВИТЬ

- Сельдерей очистить, промыть и нарезать.
- Яблоки очистить и нарезать ломтиками.
- Радичио (15 г) нарезать соломкой.
- Все перемешать и заправить оливковым маслом, солью, перцем, приправой «Аромат» и лимонным соком.
- Салат выложить горкой на листья латука, айсберга и радичио (10 г).
- По краям выложить помидоры черри.
- Посыпать мелкорубленым луком-резанцем.

Шеф-повар
Тома БЛЮИ

ГАТО ИЗ ИНЖИРА С ПАРМСКОЙ ВЕТЧИНОЙ, РУККОЛОЙ И ПАРМЕЗАНОМ

ИНГРЕДИЕНТЫ, г

Тесто слоеное	45	Масло оливковое Extra Virgin	5
Инжир	50	Соль	**по вкусу**
Ветчина пармская	25	Перец белый молотый	**по вкусу**
Салат руккола	15	Сыр пармезан	15
Уксус бальзамический выпаренный	5		

КАК ГОТОВИТЬ

- На слоеное тесто выложить дольки инжира и выпекать тарт в духовке до готовности при 200°C ❶, ❷, ❸.
- На готовом тарте красиво распределить пармскую ветчину, зачищенную и нарезанную тонкими ломтиками на слайсере ❹.

- Рукколу заправить выпаренным бальзамическим уксусом. Сбрызнуть оливковым маслом Extra Virgin, посыпать солью, белым молотым перцем ❺.
- Разместить горкой на ветчине. Салат вокруг обложить пластинками пармезана ❻.

Рецепт данного блюда я нашел в Ницце. Это классический средиземноморский тарт с рукколой, пармезаном и пармской ветчиной. Сладкий инжир превосходно гармонирует с деликатным вкусом пармской ветчины и пикантным ароматом пармезана. Нейтральная руккола создает правильный баланс и служит связующим компонентом между всеми ингредиентами.

Шеф-повар **Александр ПИНЧУК**

СПРИНГ-РОЛЛЫ С ПАШТЕТОМ ИЗ ТЕЛЯТИНЫ И ЯБЛОЧНО-ИМБИРНЫМ СОУСОМ

ИНГРЕДИЕНТЫ, г

Паштет из телятины

Печень телячья	100
Телятина (филе)	100
Лук репчатый	30
Морковь	30
Грибы белые	30
Масло оливковое	30
Соль	по вкусу
Перец черный молотый	по вкусу
Сливки 38%	30
Масло сливочное	20

Спринг-роллы

Паштет из телятины	150
Тесто рисовое	20
Яйцо	1 шт.
Масло для фритюра	
Кунжут черный	2

Соус яблочно-имбирный

Яблоки зеленые	200
Имбирь (корень)	20
Перец чили красный	1/2 шт.
Сахар	30
Масло сливочное	30

1

2

3

4

5

6

7

8

9

КАК ГОТОВИТЬ

Паштет из телятины

- Телячью печень и филе обработать и разрезать на кусочки средней величины.
- Репчатый лук, морковь и белые грибы почистить и нарезать произвольно.
- Подготовленные телячью печень, филе, репчатый лук, морковь и белые грибы жарить на оливковом масле до готовности. Добавить соль и черный молотый перец.
- Остудить, влить сливки и взбить блендером до однородной консистенции.
- В конце добавить мягкое сливочное масло и перемешать.

Спринг-роллы

- Готовый паштет из телятины завернуть в рисовое тесто, смазывая на сгибах взбитым яйцом (1/2) с помощью кисточки ❶, ❷.
- Спринг-роллы обжарить во фритюре до золотистой корочки ❸.
- Готовые рулетики еще раз смазать взбитым яйцом (1/2) и посыпать черными кунжутными семенами ❹.

Соус яблочно-имбирный

- Зеленые яблоки очистить от кожицы и нарезать кубиками, корень имбиря мелко порубить.
- Смешать нарезанные яблоки и имбирь, добавить измельченный красный перец чили и посыпать сахаром.
- Обжаривать на сливочном масле, пока соус не карамелизуется ❺.

Сервировка

- Киви нарезать кружками. Кумкват карамелизовать.
- На блюдо выложить яблочно-имбирный соус, сверху поместить спринг-роллы ❻, ❼.
- Украсить блюдо кружками киви и кумкватом, листиками тимьяна, полить бальзамическим соусом ❽, ❾.

Спринг-роллы с паштетом из телятины и яблочно-имбирным соусом — мое авторское блюдо. Паштет готовится по оригинальному рецепту с добавлением белых грибов. Паштет из телятины — вообще явление достаточно редкое, хотя весьма привлекательное на вкус. Хрустящие блинчики из рисового теста с нежнейшей начинкой и тонким ароматом кунжута — изысканное блюдо для гурманов.

Шеф-повар **Мирко ДЗАГО**

КРЕВЕТКА С АНАНАСОМ, ПЕРЦЕМ И ТАРХУНОМ

ИНГРЕДИЕНТЫ, г

Соус из бальзамического уксуса

Сахар	**30**
Уксус бальзамический	**146**
Портвейн «Порто»	**58**

Креветка с ананасом, перцем и тархуном

Креветка тигровая	**1 шт.**
Соль	**по вкусу**

Перец белый молотый	**по вкусу**
Масло оливковое	**1**
Ананас	**5**
Перец болгарский запеченный	**6**
Тархун (эстрагон)	**1 листик**
Соус из бальзамического уксуса	**1**

КАК ГОТОВИТЬ

Соус из бальзамического уксуса

• Сахар соединить с бальзамическим уксусом (140 г) и портвейном «Порто» (55 г).

• Довести до кипения и выпарить на 2/3.

• Остудить и ввести бальзамический уксус (6 г) и портвейн «Порто» (3 г).

Креветка с ананасом, перцем и тархуном

• Тигровую креветку очистить от панциря **1**.

• Посыпать солью, белым молотым перцем и жарить на оливковом масле целиком **2**, **3**.

• Ананас очистить и вырезать кружок с помощью кондитерского кольца **4**.

• Такой же кружок вырезать из запеченного болгарского перца **5**.

• На шпажку наколоть кружки ананаса и запеченного болгарского перца, положив между ними листик тархуна, затем наколоть жареную креветку **6**, **7**.

• Полить креветку соусом из бальзамического уксуса **8**.

Шашлычок из жареной креветки, сладкого перца, кислого ананаса и ароматного тархуна великолепно виден сквозь стекло стакана. В то же время стакан сохраняет температуру, и креветка долго остается теплой. Современная подача вполне традиционного блюда.

Шеф-повар **Мирко ДЗАГО**

ПЕРСИКОВАЯ РАПСОДИЯ

ИНГРЕДИЕНТЫ, г

Соус из персика

Персик	100
Сироп сахарный 1:1	100
Сок лимона	5

Сорбе персиковое

Персик	600
Сироп сахарный 1:1	240
Сок лимона	5
Глюкоза	30

Крем из рикотты

Сыр рикотта	250
Пудра сахарная	80
Ваниль (стручок)	1 шт.
Сливки 35%	56

Панакота

Сливки 35%	500
Ваниль (стручок)	1/2 шт.
Молоко 3,2%	250
Желатин кондитерский	11
Сахар	90

Сервировка

Персик	20
Печенье ванильное	3
Сахар (вата)	1
Панакота	20
Крем из рикотты	18
Соус из персика	10
Мята	0,5
Сорбе персиковое	2

КАК ГОТОВИТЬ

Соус из персика
- Персик, сахарный сироп и лимонный сок поместить в вакуумный пакет и варить на пару 10 минут.
- Остудить и измельчить в блендере до однородной консистенции.

Сорбе персиковое
- В вакуумный пакет положить персики с кожицей, добавить сахарный сироп, сок лимона, глюкозу и варить на пару 10 минут ❶.
- Остудить и взбить блендером.
- Заморозить и пробить в блендере.

Крем из рикотты
- Рикотту протереть через мелкое сито и поместить в блендер ❷, ❸.
- Всыпать сахарную пудру.
- Очистить стручок ванили от семян и добавить их в рикотту (сам стручок не использовать) ❹.
- Влить сливки и пробить продукты в блендере.
- Готовый крем поместить в кондитерский мешок.

Панакота
- Сливки нагреть на слабом огне вместе с ванильным стручком, очищенным от семян.
- Соединить молоко и подготовленные сливки.
- Желатин растворить в теплой смеси молока и сливок, добавить сахар и размешать венчиком до растворения сахара ❺.
- Налить на дно рокса и поставить в холодильник до застывания.

Сервировка
- Персик очистить от кожицы с помощью горячей воды и нарезать ломтиками.
- Готовое ванильное печенье измельчить в крошку с помощью терки ❻.
- Из сахара приготовить сладкую вату в специальной машине ❼.
- В рокс с панакотой с помощью кондитерского мешка отсадить крем из рикотты ❽.
- Рядом налить соус из персика, положить ломтики свежего персика ❾.
- Горку из рикотты посыпать крошкой из печенья, украсить листиком мяты.
- Выложить персиковое сорбе и украсить сладкой ватой.

Персиковая рапсодия была сначала вовсе не персиковой, а клубничной, и придумали ее в качестве комплимента женщинам к 8 Марта. Можно назвать ее тортом в миниатюре. Блюдо сервируется по-разному: меняя основной ингредиент в зависимости от сезона, вы меняете и вкус.

Шеф-повар
Чарли ЭЙРД

ПРОЗРАЧНЫЙ ГАСПАЧО ИЗ ТОМАТОВ С ДЫНЕЙ, АРБУЗОМ И БАЗИЛИКОМ

ИНГРЕДИЕНТЫ, г

Помидоры спелые	**250**	Перец белый молотый	**по вкусу**
Перец чили	**5**	Дыня	**3 шарика**
Огурцы	**50**	Арбуз	**3 шарика**
Чеснок	**5**	Базилик зеленый	**3**
Соль	**по вкусу**	Масло оливковое	**3**

КАК ГОТОВИТЬ

- Очень спелые помидоры разрезать и убрать из них мякоть ❶.
- Перец чили очистить от семечек ❷.
- Огурцы очистить от кожуры ❸.
- Смешать в блендере помидоры, перец чили, огурцы и чеснок ❹.
- Протереть через мелкое сито.
- Полученную смесь держать в холодильнике в течение ночи. Утром полученную овощную массу поместить в проложенное марлей сито и дать стечь прозрачной жидкости; добавить в нее соль и перец ❺.
- Прозрачный гаспачо подавать в бокале для мартини, добавить нарезанные нуазетной ложкой шарики дыни и арбуза ❻, ❼.
- Украсить листиком зеленого базилика, сбрызнуть оливковым маслом ❽.

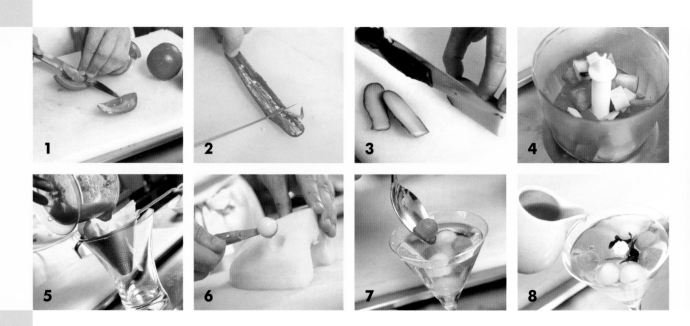

Долгий процесс приготовления оправдывается вкусовыми качествами гаспачо, приводящими сначала в шок, потом — в восторг. Конечно, сочетание помидоров с огурцами, чесноком, чили, дыней и арбузом — очень смелое, но, как показывает практика, на земле много гурманов и просто любителей всего нового и необычного.

Шеф-повар
Джонатан КЕРТИС

ТЕПЛЫЙ КЛУБНИЧНЫЙ СУП

ИНГРЕДИЕНТЫ, г

Ваниль (палочка)	**10**	Корица	**10**
Апельсин	**1 шт.**	Перец черный горошком	**1**
Вода	**150**	Клубника	**140**
Сахар	**100**	Сметана 24%	**20**
Анис (звездочка)	**5**		

КАК ГОТОВИТЬ

- Палочку ванили очистить от семечек. С апельсина снять цедру ❶, ❷.
- Воду соединить с сахаром и довести до кипения. Добавить звездочку аниса, корицу, ваниль, черный перец горошком, цедру апельсина и апельсиновый сок ❸.

- Варить сироп на медленном огне 10 минут.
- Клубнику нарезать ломтиками и положить в получившийся сироп ❹, ❺.
- Подавать в бокале для мартини с небольшим количеством сметаны ❻.

Этот освежающий клубничный суп подается теплым, отчего обретает особый шарм. Анис, корица, ваниль, цедра цитрусов, черный перец создают настоящую феерию ароматов. Суп подается в бокале для мартини. Сладкие супы очень эффектно смотрятся именно в таком варианте. Вместо бокалов для мартини можно с тем же успехом использовать фужеры для шампанского и даже стаканы для бренди.

Шеф-повар **Владимир МУХИН**

СУП ИЗ МАЛИНЫ С РАВИОЛИ

ИНГРЕДИЕНТЫ, г

Суп из малины

Малина	**500**
Вино полусладкое красное	**200**
Сироп сахарный	**300**
Базилик зеленый	**50**
Крахмал	**50**

Равиоли

Мука рисовая	**1200**
Молоко	**300**
Масло растительное	**30**
Яйцо	**4 шт.**
Вода	**240**
Соль	**24**
Абрикос	**500**

Мороженое сметанное

Сахар тростниковый	**50**
Сметана 42%	**200**
Сок лимонный	**10**
Ваниль (стручок)	**1 шт.**

Сервировка

Суп из малины	**200**
Равиоли	**240**
Мороженое сметанное	**50**
Малина	**3**
Базилик зеленый	**1**
Лайм	**3**

1   2   3   4   5   6   7   8   9

КАК ГОТОВИТЬ

Суп из малины

- Малину залить красным полусладким вином и сахарным сиропом, довести до кипения ❶, ❷, ❸.
- Добавить зеленый базилик, пробить блендером и затянуть крахмалом ❹.
- Процедить суп через сито ❺.

Равиоли

- Замесить тесто: рисовую муку соединить с молоком, растительным маслом, яйцами, водой и солью.
- Приготовить фарш: абрикосы очистить от кожицы и нарезать кубиками.
- Слепить равиоли и отварить на пару в течение 15 минут ❻.

Мороженое сметанное

- Тростниковый сахар измельчить в блендере, добавить сметану, лимонный сок и ваниль, пробить до однородной консистенции.
- Поместить массу во фризер на 30 минут.

Сервировка

- Горячий суп из малины налить в бокал ❼.
- Равиоли выложить в тарелку, в центр поместить шарик сметанного мороженого ❽.
- Украсить блюдо капельками супа из малины, ягодой малины, листиком зеленого базилика и долькой лайма ❾.

Это суп-десерт. Я много экспериментировал на тему холодных десертных супов, готовил их на основе морса, ягод клубники, малины, физалиса. Этот суп я решил сделать горячим. В его основе использована малина — единственная ягода, которая при термической обработке не теряет цвет и аромат. Гарниром к супу идут фруктовые равиоли. В этом варианте начинкой стали абрикосы, но это не догма — их можно заменить любым сезонным фруктом, а зимой использовать, например, консервированные персики. Суп подается отдельно в бокале и наливается в тарелку непосредственно перед подачей. Поскольку в десерте присутствует мороженое, возникает неожиданный эффект глясе — игра горячего с холодным.

Шеф-повар
Денис ПЕРЕВОЗ

ЛЕТНИЙ ЙОГУРТОВЫЙ СУП С ОВОЩНЫМ МАРМЕЛАДОМ

ИНГРЕДИЕНТЫ, г

Мармелад овощной

Агар-агар	16
Вода	1000
Сливки 11%	80
Базилик зеленый	10
Спаржа зеленая отварная	100
Тыква отварная	100
Апельсин	100
Морковь отварная	100
Помидоры	100
Малина	100

Бульон овощной

Морковь	100
Лук репчатый	100
Спаржа зеленая	50
Тыква	100
Лук-порей	100
Перец душистый	3

Суп йогуртовый

Йогурт 0%	150
Масло оливковое	10
Сок огуречный свежевыжатый	50
Бульон овощной	50
Соль цветочная	3

Сервировка

Мармелад овощной	100
Суп йогуртовый	150
Кресс-салат (ростки)	2

КАК ГОТОВИТЬ

Мармелад овощной

- Агар-агар залить холодной водой и дать настояться 10 минут.
- Приготовить по отдельности пюре из овощей:
  — из сливок, зеленого базилика и зеленой отварной спаржи;
  — из отварной тыквы и апельсина, очищенного от цедры;
  — из отварной моркови и цедры апельсина;
  — из помидоров;
  — из малины.

1

2

3

4

5

6

7

- Все пюре по отдельности прогреть по 5 минут вместе с агар-агаром (на 1 кг массы 16 г агар-агара) и убрать в холодильник на 10—15 минут.

Бульон овощной

- Морковь, репчатый лук, зеленую спаржу, тыкву, лук-порей очистить и произ- вольно нарезать.
- Варить на умеренном огне 2,5 часа вместе с душистым перцем.
- Готовый бульон остудить и процедить.

Суп йогуртовый

- Йогурт, оливковое масло, свежевыжатый огуречный сок, овощной бульон, цветочную соль соединить и взбить до однородной массы ❶, ❷.
- Убрать в холодильник на 30 минут.

Сервировка

- Овощной мармелад нарезать порционными квадратами ❸.
- В тарелку вылить йогуртовый суп и аккуратно выложить овощной мармелад ❹, ❺, ❻.
- Украсить ростками кресс-салата ❼.

Шеф-повар
Никола КАНУТИ

СУП ЧЕРЕШНЕВЫЙ С ФИСТАШКОВЫМ МОРОЖЕНЫМ

ИНГРЕДИЕНТЫ, г

Черешня	**1000**
Сахар	**200**
Вода	**200**
Ликер черешневый	**60**
Сок вишневый	**100**
Мороженое фисташковое	**50**

КАК ГОТОВИТЬ

- Черешню промыть и удалить косточки **1**.
- В сотейнике растопить сахар с водой до карамельной консистенции **2**.
- Добавить в карамель черешню, ликер, вишневый сок и выпаривать в течение 5 минут **3**, **4**.
- Горячий суп выложить в тарелку, сверху поместить шарик мороженого **5**, **6**.

Черешневый суп с фисташковым мороженым — хит нашего десертного меню. Контраст температур — горячий ягодный сироп с шариком холодного мороженого — настоящий праздник вкуса.

Шеф-повар **Андрей ТЫСЯЧНИКОВ**

УТИНАЯ ГРУДКА С ГАРНИРОМ ИЗ ЗЕЛЕНОГО ЯБЛОКА

ИНГРЕДИЕНТЫ, г

Грудка утиная

Грудка утиная	**150**
Фуа-гра	**100**

Гарнир из зеленого яблока

Яблоко зеленое	**200**
Мята	**5**
Масло сливочное	**25**
Сахар	**30**
Уксус бальзамический	**10**

Соус брусничный

Соус соевый	**8**
Соус гранатовый «Наршараб»	**15**

Вино мирин	**70**
Сахар	**20**
Розмарин	**0,4**
Горчица дижонская	**12**
Приправа «Сансе»	**1,5**
Брусника	**150**
Демиглас	**100**
Вода минеральная (без газа)	**150**

Сервировка

Гарнир из зеленого яблока	**200**
Грудка утиная	**75**
Соус брусничный	**50**

КАК ГОТОВИТЬ

Грудка утиная

- С утиной грудки снять кожу, с помощью ножа прорезать карман, нафаршировать фуа-гра, завернуть в пленку и поместить в морозильник на 2 часа.

Гарнир из зеленого яблока

- Зеленое яблоко очистить от кожуры, удалить сердцевину ❶, ❷.
- Нарезать кубиками ❸.
- Листики мяты перебрать, нарезать произвольно ❹.

Традиционно в качестве гарнира для утки или гуся на Руси использовали яблоки, груши, кизил, бруснику, квашеную капусту. Как правило, этими продуктами фаршировали птицу и запекали ее целиком в печи. В нашем случае утиная грудка используется в сыром виде, что, несомненно, тяготеет к европейскому стилю. А чтобы придать блюду «аромат» домашнего очага, мы подаем ее с гарниром из яблок, обжаренных с мятой и сахаром.

- Кубики зеленого яблока обжарить на сливочном масле, добавить сахар и карамелизовать **5**.
- Влить бальзамический уксус и добавить нарезанные листики мяты **6**.

Соус брусничный

- Соевый соус соединить с гранатовым соусом «Наршараб», влить вино мирин, добавить сахар, розмарин, дижонскую горчицу, приправу «Сансе», бруснику, демиглас, минеральную воду.
- Все перемешать и готовить на медленном огне 1 час 20 минут.

Сервировка

- Готовый гарнир из зеленого яблока выложить на тарелку, подавать теплым **7**.
- Утиную грудку нарезать на слайсере, выложить сверху на гарнир.
- Полить брусничным соусом **8**.

Шеф-повар
Антон СЕМЕНКИН

КАРЕ ОЛЕНЯ С ЯГОДНЫМ МУССОМ И ЕЖЕВИЧНЫМ СОУСОМ

ИНГРЕДИЕНТЫ, г

Мусс ягодный

Груша «Конференс»	100
Яблоко зеленое	100
Мед	160
Ежевика	70
Клубника	70
Малина	50
Корень имбиря	25
Корица молотая	1
Мята	2

Соус ежевичный

Ежевика	150
Уксус бальзамический	20
Мед	50

Каре оленя

Каре оленя	300
Масло оливковое	40
Соль	по вкусу
Перец черный молотый	по вкусу
Тимьян	1 веточка
Розмарин	1 веточка

Нитка свекольная

Свекла	300
Сок лимона	50

Сервировка

Мусс ягодный	170
Клубника	90

Тамарилло	**1 шт.**
Каре оленя	**240**
Соус ежевичный	**30**
Смородина красная (веточка)	**30**
Микс кресс-салатов	**20**
Нитка свекольная	**20**

КАК ГОТОВИТЬ

Мусс ягодный

- Очистить грушу и зеленое яблоко **1**, **2**.
- Нарезать произвольно и обжарить с медом (30 г) **3**, **4**.
- Добавить ежевику, клубнику, малину, измельченный корень имбиря, молотую корицу, мед (130 г), листики мяты **5**.
- Потомить в течение 10−15 минут, пробить блендером и протереть через мелкое сито **6**, **7**.
- Полученную массу поставить охлаждаться при комнатной температуре.

Соус ежевичный

- Ежевику, бальзамический уксус, мед смешать в сотейнике, довести до кипения. Пробить блендером и протереть через мелкое сито.

Каре оленя

- Каре оленя освободить от пленок, кость зачистить. Замариновать в оливковом масле (20 г) с добавлением соли, черного молотого перца, тимьяна и розмарина. Оставить мариноваться на 1,5−2 часа.
- Обжарить каре оленя на гриле с добавлением оливкового масла (20 г), довести до готовности в духовке с конвекцией при 180−190°С в течение 5 минут.

Нитка свекольная

- Свеклу очистить, натереть на тонкой терке. Промыть под холодной водой, добавить сок лимона.

Сервировка

- На тарелку в качестве гарнира с помощью специальной формочки выложить ягодный мусс **8**.
- Рядом поместить нарезанную дольками клубнику и тонкими кружочками тамарилло **9**.
- Готовое каре оленя положить на тарелку.
- Полить ежевичным соусом, декорировать веточкой красной смородины, миксом кресс-салатов и свекольной ниткой.

Мясо оленя обладает неповторимым вкусом, присущим только лесной дичи, и одним из самых длительных послевкусий. Нежнейший ягодный мусс, которым гарнируется блюдо, усиливает ощущение вкусовых рецепторов, а экзотический фрукт тамарилло подчеркивает индивидуальность каждого ингредиента.

Шеф-повар Нико ДЖОВАНОЛИ

ЖАРЕНЫЙ МЕДАЛЬОН ИЗ ЛОСОСЯ НА САЛАТЕ «ПАНЦАНЕЛЛА» С ПЕРСИКОМ-ГРИЛЬ

ИНГРЕДИЕНТЫ, г

Салат «Панцанелла»

Сельдерей (стебель)	15
Помидоры черри	25
Каперсы	10
Огурец	20
Фенхель	15
Кервель	8
Персик	25
Сухарики из белого хлеба	10
Масло оливковое	10
Лимон (сок)	1/2 шт.
Соль	по вкусу
Перец черный молотый	по вкусу

Медальон из лосося

Филе лосося (с кожей)	170
Соль	по вкусу
Перец белый молотый	по вкусу
Лимон (сок)	1/2 шт.

Масло оливковое	10
Розмарин свежий (веточка)	3

Соус «Песто оливковый»

Масло оливковое	5
Оливки зеленые	10
Сок лимонный	5 капель
Соль	по вкусу
Перец белый молотый	по вкусу

Сервировка

Персик-гриль	3 дольки
Салат «Панцанелла»	130
Соус «Песто оливковый»	40
Медальон из лосося	140
Каперсы	3 шт.

1 2 3 4

8 9 10 11

КАК ГОТОВИТЬ

Салат «Панцанелла»

- Стебель сельдерея нарезать соломкой, помидоры черри — дольками, каперсы — кружками ①, ②, ③.
- Огурец и фенхель нарезать кубиками 0,5×0,5 см ④, ⑤, ⑥.
- Кервель мелко порубить.
- Персик нарезать маленькими ломтиками ⑦.
- Овощи перемешать, добавить сухарики из белого хлеба, заправить оливковым маслом, перемешать ⑧.
- Полить лимонным соком, добавить кервель, довести до вкуса солью и черным молотым перцем ⑨, ⑩.

Медальон из лосося

- Филе лосося посолить, поперчить и сбрызнуть лимонным соком.
- На раскаленной сковороде на оливковом масле с добавлением веточки свежего розмарина обжарить филе лосося до образования хрустящей золотистой корочки ⑪.

Соус «Песто оливковый»

- Оливковое масло смешать с зелеными оливками и лимонным соком.
- Добавить соль, белый молотый перец и слегка пробить в блендере.

Сервировка

- Дольки персика обжарить на гриле и выложить на тарелку ⑫.
- Сверху поместить салат «Панцанелла» ⑬.
- Вокруг полить соусом «Песто оливковый» ⑭.
- Сверху положить медальон из лосося.
- Украсить целыми каперсами.

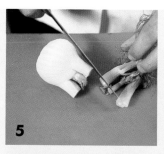

5

6

7

12

13

14

Лосось с салатом «Панцанелла» — идеальное предложение для летнего меню и для тех, кто предпочитает легкую и здоровую кухню. На самом деле это блюдо внесезонное, так как и овощи, и фрукты по нынешним временам можно найти круглогодично. Хотя летом, по понятным причинам, салат будет куда сочнее и богаче вкусами и ароматами. Насыщенность блюду придает лосось, который прекрасно сочетается с ассорти из овощей, а пикантную нотку в него вносит «Песто оливковый» — простой, но оригинальный соус.

Шеф-повар
Юнас ГРИП

ФИЛЕ ОЛЕНЯ С ВИШНЕЙ

ИНГРЕДИЕНТЫ, г

Филе оленя

Филе оленя	**600**
Соль	**по вкусу**
Перец черный молотый	**по вкусу**
Масло сливочное	**50**

Соус из вишни

Вишня	**150**
Портвейн красный	**50**
Соус «Красное вино»	**300**

**Гарнир из картофеля,
лисичек с луком и бекон**

Картофель (крупный)	**2 шт.**
Масло сливочное	**100**

Грибы лисички	**150**
Лук-шалот	**30**
Горошек сахарный	**100**
Бекон	**4 слайса**

Сервировка

Филе оленя	**130**
Гарнир из картофеля, лисичек с луком и бекон	**80**
Соус из вишни	**50**

КАК ГОТОВИТЬ

Филе оленя

- Филе оленя разрезать на четыре равных куска, посолить, поперчить ❶.
- Обжарить филе в сковороде на сливочном масле до достижения 52°C в середине куска и оставить мясо отдохнуть ❷.

Соус из вишни

- Из вишни удалить косточки и замариновать ее в красном портвейне.
- Добавить соус «Красное вино» и выпарить на треть ❸.

Традиционно в классической кулинарии блюда из дичи комбинируются с сезонными фруктами, ягодами и грибами. В нашем случае мы выбрали вишню и лисички. Но этот гарнир всегда можно заменить чем-либо другим.

Гарнир из картофеля, лисичек с луком и бекон

- Картофель очистить и нарезать фонданы в виде хоккейных шайб.
- Фонданы обжарить с обеих сторон на сливочном масле (40 г) ❹.
- Картофель и сливочное масло (30 г) поместить на жаропрочное блюдо и поставить в духовку, разогретую до 175°C, на 45 минут.
- Лисички обжарить с нашинкованным луком-шалотом на сильном огне в сливочном масле (30 г) ❺.
- Сахарный горошек в стручках порезать тонкими полосками, быстро бланшировать и смешать с лисичками и луком.
- Бекон поджарить на гриле с двух сторон ❻.

Сервировка

- Филе оленя разрезать пополам.
- На тарелку красиво уложить гарнир из картофеля, лисичек с луком и бекон. Рядом поместить разрезанное филе оленя ❼.
- Полить соусом из вишни.

Шеф-повар
Эльшан ШАФИЕВ

КОТЛЕТЫ ПО-ДОМАШНЕМУ С ЗАПЕЧЕННЫМ ЯБЛОКОМ

ИНГРЕДИЕНТЫ, г

Фарш

Телятина	**110**
Баранина	**110**
Лук репчатый	**40**
Соль	**по вкусу**
Перец черный молотый	**по вкусу**

Котлеты по-домашнему

Фарш	**250**
Масло оливковое	**50**

Яблоко запеченное

Яблоко зеленое	**150**
Соус «Наршараб»	**25**
Базилик фиолетовый	**3**

Сервировка

Яблоко запеченное	**160**
Котлеты по-домашнему	**170**
Соус «Наршараб»	**5**

КАК ГОТОВИТЬ

Фарш

- Мякоть телятины и баранины, репчатый лук пропустить через мясорубку.
- Добавить соль, черный молотый перец и перемешать фарш до однородной массы ❶.

Котлеты по-домашнему

- Из фарша сформовать котлеты и обжарить до готовности на оливковом масле ❷, ❸.

Яблоко запеченное

- У зеленого яблока срезать верхушку и вынуть сердцевину (не до конца) ❹, ❺.
- Запечь яблоко в духовке 10–15 минут при температуре 180°C ❻.
- В середину готового яблока залить соус «Наршараб», накрыть срезанной верхушкой и украсить веточкой фиолетового базилика ❼.

Сервировка

- Выложить на блюдо запеченное яблоко, рядом — котлеты, украсить соусом «Наршараб» ❽.

1 2 3 4
5 6 7 8

Мы решили внести что-то оригинальное в рецептуру котлет и изменили подачу. В качестве гарнира выбрали запеченное зеленое яблоко, которое благодаря своей легкой кислинке приводит блюдо к правильному вкусовому балансу.

Шеф-повар
Эльшан ШАФИЕВ

БАКИНСКИЙ ПЛОВ

ИНГРЕДИЕНТЫ, г

Шафран	1	Перец черный молотый	**по вкусу**
Вода	55	Каштаны	120
Рис	480	Сухофрукты	
Соль	**по вкусу**	(изюм, алыча, чернослив, курага)	600
Лаваш армянский	**1 шт.**	Лук репчатый	200
Масло топленое	280	Куркума	4
Задняя баранья голень			
(охлажденная)	1200		

КАК ГОТОВИТЬ

- Шафран замочить в воде на 4 часа.
- Рис отварить в подсоленной воде до полуготовности **1**.

- На дно кастрюли выложить лист армянского лаваша и налить топленое масло (80 г) **2**, **3**.
- Выложить отваренный до полуготовности рис и до-

бавить шафрановую смесь для цвета и аромата (из расчета 1 г шафрана на 1,5 кг риса) , .

- Посуду плотно накрыть крышкой и томить до готовности от 40 минут до 1 часа. Рис должен получиться рассыпчатым.
- Заднюю баранью голень разделать на мякоть, нарезать на 5—6 кусков, посолить, поперчить .
- Каштаны очистить. Сухофрукты (изюм, алычу, чернослив, курагу) промыть и высушить. Репчатый лук нарезать полукольцами.

- Баранину отварить в течение 20 минут, затем обжарить на топленом масле (200 г) вместе с нарезанным репчатым луком, каштанами и сухофруктами и тушить еще 20 минут. Добавить куркуму .
- Готовый рис выложить горкой в центр тарелки, по краям уложить баранину, сухофрукты и каштаны , .

Бакинский плов — национальное блюдо, готовящееся на всех праздниках. По-другому его еще называют сладким пловом. Вкусное, свежее, легкое, но одновременно насыщенное блюдо очень популярно. Здесь, как и во всех азербайджанских блюдах, используется топленое масло — оно придает плову особый колорит. Так, если другие блюда из-за диетических предпочтений гостей мы чаще готовим на оливковом или растительном масле, то в плове топленое масло я заменять другим не рекомендую.

СВИНОЕ ФИЛЕ В БЕКОНЕ С МАНГО-ГРИЛЬ И КЛЮКВЕННЫМ СОУСОМ

ИНГРЕДИЕНТЫ, г

Гарнир манго-гриль и брокколи

Манго	50
Капуста брокколи	50
Вода	300
Соль	по вкусу
Масло оливковое	30

Филе свиное в беконе

Филе свиное	200
Бекон с/к	40
Масло оливковое	20

Соус клюквенный

Вода	50
Клюква	100
Сахар	20
Вино сухое красное	30

Сервировка

Филе свиное в беконе	150
Манго-гриль	30
Капуста брокколи	40
Петрушка	3
Соус клюквенный	80

КАК ГОТОВИТЬ

Гарнир манго-гриль и брокколи

- Манго очистить от кожуры, нарезать на дольки ❶, ❷.
- Обжарить на гриле ❸.
- Капусту брокколи разобрать на соцветия, бланшировать в кипящей подсоленной воде ❹, ❺.
- Брокколи слегка поджарить на сковороде в оливковом масле ❻.

Филе свиное в беконе

- Свиное филе зачистить, разрезать на три стейка, завернуть каждый в пластинку бекона, заколоть шпажками и обжарить на гриле с двух сторон с добавлением оливкового масла.

В этом блюде используется свиная вырезка. Сама по себе она суховата, а недожаривать ее, как говядину, нельзя. Поэтому я оборачиваю ее беконом, который придает ей во время приготовления сочность.

Соус клюквенный

- В кипящую воду добавить клюкву (80 г) **7**.
- Всыпать сахар, прокипятить, влить красное вино, довести до густой консистенции, процедить.
- В готовый соус добавить целые ягоды клюквы (20 г) и прогреть.

Сервировка

- На тарелку выложить готовое филе в беконе, симметрично расположить манго-гриль, капусту брокколи.
- Украсить блюдо веточкой петрушки и декорировать клюквенным соусом **8**.

Шеф-повар **Вячеслав БРЫЛОВ**

КАША ТЫКВЕННАЯ НА РАСТОПЛЕННОМ МАСЛЕ

ИНГРЕДИЕНТЫ, г

Каша тыквенная

Пшено	60
Вода	400
Соль	3
Сахар	45
Тыква	120
Молоко	600
Сливки 38%	10
Масло сливочное	10

Сервировка

Каша тыквенная	
Ягоды ежевики	10
Ягоды черники	8
Ягоды клубники	5
Пудра сахарная	2
Масло сливочное	35
Мед	50

КАК ГОТОВИТЬ

Каша тыквенная

- Пшено перебрать, тщательно промыть, залить горячей водой, добавить соль, сахар и довести до кипения.
- Тыкву очистить от кожуры и семян, затем промыть холодной водой, нарезать кубиками.
- Когда пшено полностью набухнет, влить горячее молоко и сливки, добавить нарезанную тыкву, перемешать и выложить в чугунок. Полить растопленным сливочным маслом.
- Чугунок накрыть крышкой и поставить в горячую печь на 2 часа ❶.

Сервировка

- Готовую тыквенную кашу выложить в сервировочную форму ❷.
- Украсить свежими ягодами ежевики, черники, клубники и посыпать сахарной пудрой ❸.
- Подавать с растопленным сливочным маслом и медом, разлитыми по пиалам, либо полить кашу сверху ❹, ❺, ❻.

Тыквенную кашу называют традиционным русским блюдом, хотя сама тыква пришла к нам из Америки. Это универсальный овощ, поскольку из него можно приготовить много разнообразных блюд. Тыква вкусна в сыром, вареном, жареном и тушеном виде. Ее добавляют в каши, делают варенье, пюре, цукаты, запекают, жарят оладьи и лепешки. Тыква очень полезна — в ее мякоти много каротина, витаминов B, C, E, PP и T. Последний способствует интенсивному усвоению мяса и другой тяжелой пищи.

Шеф-повар
Сергей ЕРОШЕНКО

ШТРУДЕЛЬ ИЗ КАПУСТЫ С ЯБЛОКОМ

ИНГРЕДИЕНТЫ, г

Яблоко зеленое	**50**	Тесто фило	**2 листа**
Яйцо (желток)	**1 шт.**	Тимьян свежий (веточка)	**1 шт.**
Крахмал	**5**	Уксус бальзамический	**5**
Капуста белокочанная	**100**	Перец черный молотый	**по вкусу**
Масло оливковое	**20**		

КАК ГОТОВИТЬ

- Яблоко очистить и нарезать кубиками **1**.
- Яичный желток смешать с крахмалом **2**.
- Белокочанную капусту нашинковать, потушить с добавлением оливкового масла. Смешать с нарезанным яблоком **3**.
- На тесто выложить тушеную капусту, смешанную с яблоком **4**.
- Свернуть в виде рулета, смазать смесью желтка и крахмала **5**, **6**.

- Запекать в духовке 10 минут при температуре 200°С **7**.
- Готовый штрудель нарезать порционно, выложить на тарелку. Украсить веточкой тимьяна, бальзамическим уксусом, черным молотым перцем **8**.

1 2 3 4
5 6 7 8

Штрудель — замечательный гарнир
к любому блюду. Само слово имеет
австрийское происхождение и пере-
водится как десерт. У нас больше
распространены яблочные штрудели,
которые именно как десерт и подают-
ся. Однако во многих странах в качестве начинок помимо сладких ингредиентов используют грибы, капусту, мясо
и рыбу. Тесто классически используется бездрожжевое слоеное. Я предлагаю попробовать капустный штрудель
в тонком и нежном тесте фило. Этот
гарнир хорошо подойдет к свинине
или к утке. Также его можно подавать
и как самостоятельное блюдо.

Шеф-повар
Франсуа КАНТЕН

ФРУКТОВЫЙ ШАШЛЫК

ИНГРЕДИЕНТЫ, г

Ананас	**40**	Корж песочный	**5**
Арбуз	**30**	Цедра лайма	**1**
Киви	**40**	Перец черный молотый	**1**
Клубника	**3 ягоды**	Малина	**25**
Виноград зеленый	**3 ягоды**	Базилик зеленый	**1**
Имбирь свежий	**1**		

КАК ГОТОВИТЬ

- Вымыть фрукты, очистить от кожуры ананас, арбуз и киви.
- Нарезать ананас, арбуз и киви кубиками 1,5×1,5 см ❶, ❷.
- Клубнику и виноград порезать на половинки.
- Имбирь мелко порубить ❸.
- Песочный корж раскрошить и смешать с цедрой лайма, черным молотым перцем и имбирем ❹.

- Нанизать на шпажку кубики арбуза, киви, ананаса и окунуть одной стороной в смесь коржа с имбирем ❺, ❻.
- Добавить на шпажку ягоды клубники, винограда и малины ❼.
- Украсить малину листиком базилика ❽.

1

2

3

4

5

6

7

8

Легкий фруктовый
шашлык чрезвычайно
популярен. Лаконичность
подачи, внешняя простота
и при этом изысканный
вкус создают особое,
праздничное настроение.

Шеф-повар
Никола КАНУТИ

ТАРТАЛЕТКИ С ЧЕРЕШНЕЙ

ИНГРЕДИЕНТЫ, г

Тарталетки

Мука	**500**
Масло сливочное	**300**
Яйцо	**2 шт.**
Сахар	**200**
Ваниль	**1 стручок**

Начинка

Сливки кондитерские	**120**
Сахар	**15**
Яйцо	**1 шт.**

Тарталетки с черешней

Тарталетки	**10 шт.**
Начинка	**100**
Черешня	**10 шт.**

КАК ГОТОВИТЬ

Тарталетки

- Муку, размягченное сливочное масло, яйца, сахар и ваниль смешать. Вымесить тесто.
- Из теста сделать в специальных формочках тарталетки **1**.

Начинка

- Кондитерские сливки, сахар и яйцо взбить венчиком.

Тарталетки с черешней

- В тарталетки залить начинку на 1/3 **2**.
- Из черешни предварительно вынуть косточки, оставив веточку **3**, **4**.
- Очищенные черешни положить в тарталетки **5**.
- Выпекать тарталетки в духовке при температуре 160°C в течение 15 минут **6**.
- Готовые тарталетки вынуть из формочек **7**, **8**.

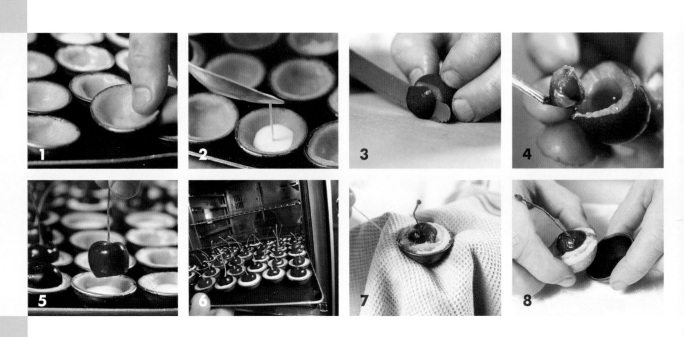

Блюдо подходит для обеденного десерта, чайного перерыва. Его главное достоинство — оно не требует большого количества ингредиентов, просто в исполнении, элегантно на вид и весьма приятно на вкус.

Шеф-повар
Сави КЕНДЕЛ

КАНАПЕ «СЫР ПЕКОРИНО»

ИНГРЕДИЕНТЫ, г

Сыр пекорино	**40**
Клубника свежая	**4 шт.**
Орехи грецкие (очищенные)	**2 шт.**
Мед цветочный	**8**

КАК ГОТОВИТЬ

- Сыр пекорино нарезать кубиками **1**, **2**, **3**.
- У ягод клубники срезать шляпки (или оставить — по желанию) **4**.
- Надеть на шпажки кубики сыра, клубнику и половинки очищенных грецких орехов **5**, **6**, **7**.
- Выложить на блюдо. Сверху полить цветочным медом **8**.

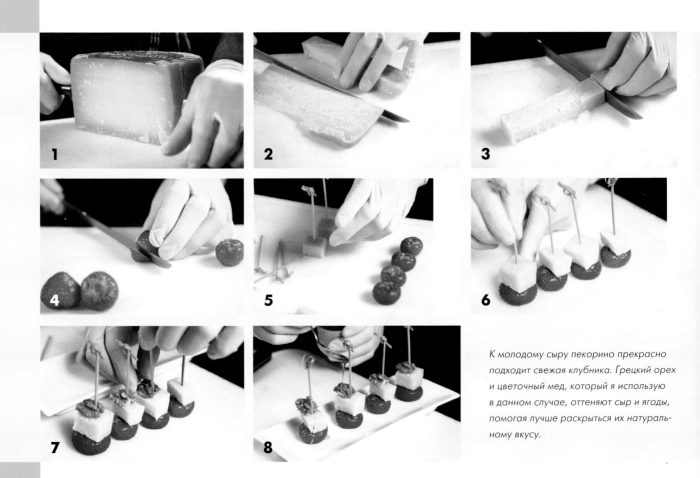

К молодому сыру пекорино прекрасно подходит свежая клубника. Грецкий орех и цветочный мед, который я использую в данном случае, оттеняют сыр и ягоды, помогая лучше раскрыться их натуральному вкусу.

Шеф-повар
Сергей ВЕКШИН

КАРПАЧЧО ИЗ МАНГО С МАЛИНОЙ

ИНГРЕДИЕНТЫ, г

Соус ванильно-апельсиновый

Вода	**100**
Сахар тростниковый	**20**
Ваниль (палочка)	**1/2 шт.**
Орех мускатный	**1**
Фреш апельсиновый	**30**

Карпаччо из манго с малиной

Манго	**300**
Малина	**40**
Мята	**2**
Сок апельсиновый	**50**
Соус ванильно-апельсиновый	**50**
Мороженое	**50**
Золото сусальное	**2**

КАК ГОТОВИТЬ

Соус ванильно-апельсиновый

- Воду смешать с тростниковым сахаром, ванилью и мускатным орехом, довести до кипения и варить 5 минут.
- Вынуть ванильную палочку и смешать получившийся сироп (30 г) с апельсиновым фрешем.

Карпаччо из манго с малиной

- Манго очистить, помыть и нарезать ломтиками **1**, **2**.

- Выложить на тарелку по кругу, в центр тарелки положить ягоды малины **3**, **4**.
- Украсить ломтики манго листиками мяты.
- Выжать сок половины апельсина и влить в него ванильно-апельсиновый соус **5**, **6**.
- Аккуратно полить манго полученным соусом **7**.
- На малину выложить шарик пломбира и украсить сусальным золотом **8**.

Привлекательное сочета-
ние вкуса и цвета: все ягоды
и фрукты свежие, полные
витаминов. Дополнение
из шарика мороженого
вопреки расхожему мнению
приносит пользу, а не вред.
Пломбир богат молочными
жирами и белками. Он
— настоящий эликсир пре-
красного настроения.

Шеф-повар
Нико ДЖОВАНОЛИ

ВИШНЕВЫЙ ТАРТАР С ЧЕРНЫМ ПЕРЦЕМ И ВЫДЕРЖАННЫМ БАЛЬЗАМИЧЕСКИМ УКСУСОМ НА ВАНИЛЬНОМ ТВОРОГЕ

ИНГРЕДИЕНТЫ, г

Вишневый тартар

Вишня	200
Перец черный дробленый	1
Масло оливковое Extra Virgin	3
Уксус бальзамический 12-летней выдержки	7
Пудра сахарная	3

Ванильный творог

Творог домашний	60
Сливки взбитые	20

Сок лимона или лайма	1/2 шт.
Мед или коричневый сахар	15
Ваниль	1 палочка

Сервировка

Тартар вишневый	70
Творог ванильный	100
Вишня	6 шт.
Мята (листики)	2
Уксус бальзамический 12-летней выдержки	3

КАК ГОТОВИТЬ

Вишневый тартар

- Вишню очистить от косточек и нарезать маленькими кусочками ①, ②.
- Смешать вишню с дробленым черным перцем, оливковым маслом, уксусом и сахарной пудрой ③.
- Оставить мариноваться примерно 15 минут.
- Процедить.

Ванильный творог

- Творог домашний смешать со взбитыми сливками, добавить лимонный сок и мед ④, ⑤.

- Ванильную палочку разрезать, вынуть зернышки ванили, добавить их в творог и перемешать ⑥, ⑦.

Сервировка

- Вишневый тартар смешать с ванильным творогом, сделать кнель и выложить на тарелку ⑧.
- Украсить целыми вишенками, листиками мяты и выдержанным бальзамическим уксусом ⑨.

Вишневый тартар — идеальный десерт для летнего сезона, когда не хочется отяжелять желудок насыщенными продуктами. Сама вишня переполнена витаминами и полезными для здоровья микроэлементами, что делает это блюдо не просто вкусным и красивым, но и весьма полезным. Легкий маринад из дробленого черного перца, великолепного оливкового масла холодного отжима, бальзамического уксуса и сахарной пудры придает этой ягоде поистине божественный вкус. А в дуэте с ванильным творогом вишня обретает неординарность и особый колорит.

Шеф-повар **Олег ЖУКОВ**

ПИРОГ С МАЛИНОЙ

ИНГРЕДИЕНТЫ, г

Тесто сахарно-песочное (готовое)	**120**		
Паста миндальная (готовая)	**300**		
Крем «Муслин»	**100**		
Малина свежая	**300**		
Желе малиновое	**100**		
Соус малиновый	**30**		
Соус из манго	**20**		
Сливки взбитые	**10**		
Ягода свежей малины (декор)	**1 шт.**		
Мята (листики)	**1**		
Пудра сахарная	**1**		

Крем «Муслин»
Крем заварной
(готовится по классической схеме) **100**
Сливки взбитые **100**

Соус малиновый
Малина свежая **300**
Сахар **75**

Соус из манго
Пюре из манго **300**
Сахар **75**

КАК ГОТОВИТЬ

- Сахарно-песочное тесто соединить с миндальной пастой, хорошо вымесить, сделать корж и выпечь в духовке при 180°C в течение 25–30 минут. Вынуть из духовки, дать остыть.
- Залить корж кремом «Муслин».
- Сверху выложить свежую малину и глазировать малиновым желе.
- Кусок пирога поместить на тарелку.
- Рядом — декор из малинового соуса и соуса из манго.
- Украсить блюдо взбитыми сливками, ягодой свежей малины, листиками мяты и сахарной пудрой.

Крем «Муслин»
- Заварной крем и взбитые сливки соединить и хорошо перемешать.

Соус малиновый
- Малину сварить с сахаром, взбить в блендере и процедить.

Соус из манго
- Пюре из манго довести до кипения, добавить сахар. Довести до однородной массы.

Оба классических соуса, которые здесь используются (с малиной и манго), довольно распространены. Они прекрасно подходят ко многим десертным блюдам: тортам, пирогам, муссам, мороженому. Благодаря их желеобразной консистенции ими хорошо декорировать тарелки. А ягоды и фрукты, которые входят в состав соусов, придают десертам свежесть и оригинальный вкус.

Шеф-повар
Кирилл КАРМАЛОВ

ЯГОДЫ ПОД СОУСОМ «БОКЮЗ»

ИНГРЕДИЕНТЫ, г

Ягоды свежие (клубника, ежевика, малина, красная смородина, голубика)	**по 30**
Соус «Бокюз»	**50**
Пудра сахарная с ванилью	**5–7**
Мята свежая	**1 веточка**

Соус «Бокюз»

Яйцо (желток)	**1 шт.**
Сахар	**20**
Сливки кондитерские 38%	**100**
Ликер «Амаретто»	**20**

КАК ГОТОВИТЬ

- Свежие ягоды выложить на блюдо горкой, полить соусом «Бокюз».
- Посыпать сахарной пудрой с ванилью и украсить веточкой мяты.

Соус «Бокюз»

- Желток и сахар взбить венчиком на водяной бане до полного растворения сахара.
- Отдельно взбить сливки.
- Взбитые сливки аккуратно добавить к желтку и перемешать до однородной массы. Затем тонкой струйкой ввести ликер «Амаретто».

*Авторство этого десертного соуса принадлежит знаменитому французскому повару Полю Бокюзу. Вкус соуса настолько гармоничен и сбалансирован по всем показателям, что может быть использован и как самостоятельное блюдо.
Я знаком с этим великолепным рецептом уже несколько лет и предлагаю соус к ягодам, вареникам, а также в качестве десерта.*

Шеф-повар
Ирина АНДРЮНИНА

ТОРТ-МОРОЖЕНОЕ С МЕРЕНГАМИ

ИНГРЕДИЕНТЫ, г

Тонкие овальные меренги	**7 шт.**
Мороженое ванильное	**70**
Шербет ягодный	**50**
Голубика	**5**
Клубника	**7**
Малина	**8**
Ежевика	**5**
Соус клубничный	**10**
Мята (листики)	**1**

Тонкие овальные меренги

Сахар	**150**
Яйцо (белок)	**150**
Пудра сахарная	**100**

Шербет ягодный

Сахар	**280**
Вода	**280**
Пюре из свежих ягод (любых)	**1000**

Соус клубничный

Клубника свежая	**100**
Сахар	**100**
Сок лимонный	**10**

КАК ГОТОВИТЬ

- В форму выложить две меренги, на них — смесь ванильного мороженого и ягодного шербета, заморозить.
- Выложить из формы на тарелку, сверху декорировать ягодами, по кругу — оставшимися меренгами.
- Украсить клубничным соусом и мятой.

Тонкие овальные меренги

- Сахар взбить с белком в пышную пену, добавить пудру.
- Отсадить на кондитерский лист в виде спирали и выпекать 5—7 минут при 170°С.

Шербет ягодный

- Сахар и воду довести до кипения и охладить.
- Соединить с пюре и заморозить.

Соус клубничный

- Клубнику, сахар и лимонный сок смешать, готовить в вакуумном пакете на паровой бане 20 минут.
- Взбить в блендере и процедить.

Шеф-повар
Ирина АНДРЮНИНА

«ЯБЛОЧНЫЙ ВОСТОРГ»

ИНГРЕДИЕНТЫ, г

Яблоко	1 шт.
Масло сливочное	20
Карамель	120
Кальвадос	40
Шербет яблочный	60
Чипсы яблочные	10
Джем яблочный	30

Шербет яблочный

Сахар	280
Вода	280
Сок яблочный свежевыжатый	1000

КАК ГОТОВИТЬ

- Яблоко очистить от кожицы, удалить сердцевину, обжарить на сливочном масле с карамелью и кальвадосом, охладить.
- Выложить сверху шербет, декорировать яблочными чипсами.
- Оформить блюдо яблочным джемом.

Шербет яблочный
- Сахар и воду довести до кипения и охладить.
- Соединить с соком и заморозить.

Шеф-повар
Елена КНЯЗЕВА

КАРПАЧЧО ИЗ МАНГО

ИНГРЕДИЕНТЫ, г

Манго	**100**
Сорбе из манго	**50**
Соус клубничный	**30**
Клубника свежая	**30**
Орешки кедровые обжаренные	**10**
Мята (листики)	**1**

Соус клубничный

Клубника свежая	**200**
Сахар	**50**

КАК ГОТОВИТЬ

- Мякоть манго нарезать на слайсере.
- Выложить на тарелку, в центре поместить шарик сорбе из манго, полить клубничным соусом, по кругу выложить дольки клубники.
- Посыпать орешками и украсить мятой.

Соус клубничный
- Клубнику засыпать сахаром, дать отстояться до появления сока и перетереть в блендере.

Шеф-повар
Ирина АНДРЮНИНА

МИНДАЛЬНОЕ МИЛЛЕФОЛЬЕ СО СВЕЖЕЙ КЛУБНИКОЙ

ИНГРЕДИЕНТЫ, г

Миндально-песочное печенье	**3 шт.**	Мука	**70**
Карамель с имбирем	**15**	Фисташки	**20**
Клубника свежая	**90**	Заварка черная крепкая	**50**
Соус клубничный	**20**		
Перец черный молотый	**1**	**Карамель с имбирем**	
Крем «Дипломат»	**50**	Сахар	**100**
Мармелад клубничный	**10**	Вино белое	**30**
Мята (листики)	**1**	Имбирь свежий	**20**
Миндально-песочное печенье		**Соус клубничный**	
Масло сливочное	**120**	Вода	**100**
Пудра сахарная	**180**	Сахар	**100**
Миндальные лепестки	**150**	Пюре клубничное	**1000**

КАК ГОТОВИТЬ

- Одно миндально-песочное печенье смазать карамелью с имбирем (7,5 г), сверху выложить очищенную клубнику (85 г), полить клубничным соусом и посыпать перцем.
- Накрыть вторым печеньем, смазанным оставшейся карамелью, выложить крем «Дипломат», в середину поместить кусочек клубничного мармелада.
- Накрыть третьим печеньем, декорировать клубникой (5 г) и мятой.

Миндально-песочное печенье
- Сливочное масло соединить с сахарной пудрой, миндальными лепестками, мукой, фисташками и заваркой.
- Тщательно перемешать.

- Отсадить на кондитерский лист в виде тонких лепешек, выпекать 5—7 минут при 170°С.
- Придать им круглую форму, вырубив острым ножом.

Карамель с имбирем
- Сахар расплавить на сковороде до светлой карамели.
- Добавить вино и кипятить 1 минуту.
- Добавить очищенный, мелко нарезанный имбирь.

Соус клубничный
- Воду с сахаром кипятить 1 минуту.
- Полученный сироп соединить с клубничным пюре и тщательно перемешать.

Шеф-повар
Жером КУСТИЙЙАС

«ТИФФАНИ»

ИНГРЕДИЕНТЫ, г

Макронад	**20**	**Соус «Малиновый»**	
Мусс фисташковый	**40**	Малина	**100**
Малина	**80**	Сахар	**30**
Соус «Малиновый»	**10**	Стручок ванили	**1 шт.**
Ажур карамельный	**15**	Вода	**20**
Нугатин	**15**	Сок лимонный	**40**
Фисташки в пудре	**6**		
Мята	**1**	**Ажур карамельный**	
Пудра сахарная	**1**	Сахар	**50**
		Вода	**15**
Макронад		Сироп глюкозы	**5**
Сахар	**50**	Краситель пищевой	**5**
Мука миндальная	**80**		
Пудра сахарная	**80**	**Нугатин**	
Яйцо (белок)	**2 шт.**	Масло сливочное	**60**
Краситель пищевой	**10**	Пудра сахарная	**150**
		Сок апельсиновый	**20**
Мусс фисташковый		Краситель пищевой	**10**
Масло сливочное	**10**	Мука пшеничная	**50**
Молоко	**100**		
Стручок ванили	**1 шт.**	**Фисташки в пудре**	
Желатин	**3**	Фисташки	**50**
Паста фисташковая	**10**	Пудра сахарная	**10**
Яйцо	**3 шт.**		
Сахар	**120**		
Крахмал	**10**		

КАК ГОТОВИТЬ

- На макронад сверху выложить мусс, затем — малину.
- Малину наполнить соусом.
- Украсить карамельным ажуром, нугатином.
- Оформить тарелку фисташками, мятой и сахарной пудрой.

Макронад

- Сахар соединить с миндальной мукой и сахарной пудрой.
- Во взбитые белки добавить краситель.
- В белковую массу выложить смесь из пудры и муки, перемешать.
- Поместить в кондитерский мешок, отсадить в виде круга.

- Выпекать в духовке при 200°C до готовности.
- Охладить.

Мусс фисташковый

- Масло соединить с молоком, ванилью и прогреть, процедить, добавить желатин и фисташковую пасту.
- Желтки взбить, перемешать с сахаром (60 г), крахмалом, смешать все с молочно-фисташковой смесью и заварить обе смеси вместе.
- Из сахара (60 г) и воды (10 г) сварить сахарный сироп.
- Белки взбить, аккуратно добавить в них сахарный сироп.

- Смешать обе смеси.
- Охладить.

Соус «Малиновый»
- Малину соединить с сахаром, ванилью, водой и лимонным соком.
- Сварить, процедить и охладить.

Ажур карамельный
- Сахар соединить с водой, глюкозой, красителем и довести до карамельного состояния.
- Вытянуть в виде нитей.

Нугатин
- Масло соединить с сахарной пудрой и соком.
- Добавить краситель и муку, перемешать и выпекать в духовке при 140°C до готовности.

Фисташки в пудре
- Орехи обжарить, посыпать сахарной пудрой, закарамелизовать.

Шеф-повар
Мария МАКОВЕЦКАЯ

АНАНАСОВЫЙ МИЛЬФЕЙ

ИНГРЕДИЕНТЫ, г

Меренга	8 (3 шт.)
Сорбе из ананаса	112
Соус ананасовый	30
Мята свежая (листики)	1
Шоколад	1

Меренга итальянская

Яйцо (белок)	250
Сахар	571

Сорбе из ананаса

Вода	355
Сахар	190
Глюкоза (пудра)	85
Стабилизатор	5
Декстроза	35
Пюре из ананаса	467

Соус ананасовый

Пюре из ананаса	400
Сахар	20
Пектин	5
Стручок ванили	5 шт.
Ананас свежий	200

КАК ГОТОВИТЬ

- На две меренги круглой формы выложить сорбе из ананаса, по кругу полить ананасовым соусом.
- Декорировать мятой и шоколадом.

Меренга итальянская
- Взбить белок с сахаром.
- На силиконовом листе сформовать из массы кружки.
- Выпекать при 90°С 25 минут.

Сорбе из ананаса
- Воду, сахар и глюкозу перемешать и прогреть до 45°С.

- Затем добавить стабилизатор и декстрозу, довести до кипения.
- Полученную массу настоять 12 часов.
- Соединить с пюре из ананаса и заморозить.

Соус ананасовый
- Соединить пюре, сахар, пектин и ваниль, довести до кипения.
- Добавить в соус кусочки нарезанного средними кубиками ананаса.

Шеф-повар
Татьяна ФИЛИППОВА

ШОКОЛАДНЫЙ ТИАН С ЯГОДАМИ

ИНГРЕДИЕНТЫ, г

Шоколад (черный, белый, молочный)	35
Крем малиновый	80
Ягоды свежие (любые)	80
Соус ванильный	30
Соус клубничный	30
Соус малиновый	100

Крем малиновый

Сливки 33–38% взбитые	65
Пюре малиновое	20
Пудра сахарная	5

Соус ванильный

Сливки 33–38%	150
Молоко	100
Стручок ванили	1/2 шт.
Яйцо (желток)	60
Сахар	50
Крахмал	15

Соус клубничный

Клубника	25
Сахар	5

Соус малиновый

Малина	90
Сахар	10

КАК ГОТОВИТЬ

- Сделать из трех сортов шоколада пласт в виде сетки.
- Когда шоколад застынет, разделить на ровные квадраты.
- Шоколадные пластины прослоить малиновым кремом, свежими ягодами и уложить в виде пирамиды.
- Подавать с соусами.

Крем малиновый
- Соединить сливки с малиновым пюре и сахарной пудрой.

Соус ванильный
- Сливки соединить с молоком (80 г), добавить ваниль, довести до кипения.
- Оставшееся молоко (20 г) соединить с желтками, сахаром и крахмалом, заварить горячей смесью и процедить.

Соус клубничный
- В блендере довести клубнику до пюреобразной массы и соединить с сахаром.

Соус малиновый
- Малину перетереть с сахаром.

Шеф-повар
Татьяна Филиппова

КРЕМ-БРЮЛЕ С ЯГОДАМИ

ИНГРЕДИЕНТЫ, г

Сливки 33–38%	**50**
Молоко	**50**
Сахар	**10+20**
Стручок ванили	**1/3 шт.**
Яйцо	**1 шт.**
Ягоды свежие (любые)	**40**

КАК ГОТОВИТЬ

- Вскипятить сливки, молоко, сахар и ваниль.
- Добавить яйцо.
- Все хорошо перемешать, процедить через сито и разлить по формам.
- Добавить свежие ягоды (20 г).
- Поставить в духовку, разогретую до 130°С, на 15 минут.
- Готовый десерт охладить, сверху посыпать сахаром и запечь в ростере до образования сахарной корочки.
- Декорировать блюдо свежими ягодами (20 г).

Шеф-повар
Татьяна ФИЛИППОВА

ЛИМОННО-МАЛИНОВЫЙ ШИФОН

ИНГРЕДИЕНТЫ, г

Сахар	50
Вода	10
Яйцо (белок)	25
Сок лимона	15
Желатин	4
Сливки 33–38% взбитые	50
Бисквит белый	5
Малина	40
Шоколад белый	20
Шоколад черный	2
Соус (клубничный или малиновый)	20

КАК ГОТОВИТЬ

- Приготовить сироп из сахара (38 г) и воды.
- Белок взбить в миксере с сахаром (12 г), влить сироп и продолжать взбивать до образования безе.
- В безе добавить сок лимона, желатин и взбитые сливки.
- В форму положить белый бисквит, затем — малину, сверху — безе и охладить.
- В качестве декора использовать предварительно приготовленные пластинки белого шоколада с рисунком из черного, а также клубничный или малиновый соус.

Шеф-повар
Татьяна ФИЛИППОВА

ЯБЛОЧНЫЙ ШТРУДЕЛЬ

ИНГРЕДИЕНТЫ, г

Яблоко зеленое	**120**	**Соус ванильный**	
Крошка бисквитная	**20**	Сливки 33–38%	**150**
Корица	**2**	Молоко	**100**
Сахар	**10**	Стручок ванили	**1/2 шт.**
Изюм	**10**	Яйцо (желток)	**60**
Миндаль	**10**	Сахар	**50**
Мука	**300**	Крахмал	**15**
Соль	**5**		
Масло растительное	**40**	**Печенье фламандское**	
Вода холодная	**150**	Сахар	**125**
Масло сливочное	**50**	Яйцо	**1 шт.**
Соус ванильный	**70**	Яйцо (желток)	**1 шт.**
Печенье фламандское	**30**	Стручок ванили	**1 шт.**
Клубника	**5**	Крошка ореховая	**50**
Мята	**1**	Мука	**125**

КАК ГОТОВИТЬ

- Приготовить начинку для штруделя:
  — яблоко очистить от кожицы, удалить сердцевину, порезать ломтиками;
  — добавить бисквитную крошку, корицу, сахар, изюм и миндаль, перемешать до однородной массы.
- Из муки, соли, масла и воды замесить однородное тесто.
- Поместить на 1 час в холодильник.
- Раскатать тесто в тонкий пласт, на него выложить начинку и свернуть рулетом.
- Смазать штрудель сливочным маслом.
- Выпекать при 200°C 15 минут.
- Налить на тарелку соус, сверху положить штрудель.
- Декорировать десерт фламандским печеньем, клубникой и мятой.

Соус ванильный
- Сливки соединить с молоком (80 г), добавить ваниль, довести до кипения.
- Оставшееся молоко (20 г) соединить с желтками, сахаром и крахмалом, заварить горячей смесью и процедить.

Печенье фламандское
- Взбить сахар с яйцом и желтком, добавить семечки, вынутые из стручка ванили, ореховую крошку и муку.
- Придать желаемую форму и выпекать при 180°C до готовности.

Шеф-повар
Вера ХРОМОВА

ДЕСЕРТ ИЗ БЕЛОГО ШОКОЛАДА С ВИШНЕЙ «ГРИОТТ»

ИНГРЕДИЕНТЫ, г

Тесто «Крамбл» хрустящее	**20**		Корица (палочка)	**4 шт.**
«Велюр» из белого шоколада	**10**		Шоколад белый	**270**
Мусс из белого шоколада	**70**		Желатин листовой	**1 шт.**
Кули вишневые	**25**		Сливки 35% взбитые	**435**
Соус вишневый	**20**			
Украшение карамельное	**2**		**Кули вишневые**	
Палочка ванили в сахаре	**1**		Вишня свежая	**125**
			Вишня «Гриотт» в ликере	**125**
Тесто «Крамбл» хрустящее			Пектин	**8**
Сахар	**140**		Сахар	**125**
Мука	**382**			
Пудра миндальная	**150**		**Соус вишневый**	
Стручок ванили	**1 шт.**		Вишня с/м	**500**
Масло сливочное	**312**		Корица (палочка)	**4 шт.**
			Пектин	**10**
Мусс из белого шоколада			Сахар	**50**
Молоко	**215**		Яблоко свежее	**200**
Стручок ванили	**1 шт.**			

КАК ГОТОВИТЬ

- Выпеченное тесто «Крамбл» покрыть «велюром» из белого шоколада (5 г) .
- Выложить на тесто первый слой мусса из белого шоколада (1/2), на него поместить кули из вишни, затем — оставшийся мусс и разровнять.
- Охладить. Затем покрыть верх белым «велюром» (5 г) .
- Декорировать десерт вишневым соусом, карамельным украшением и палочкой ванили в сахаре.

Тесто «Крамбл» хрустящее
- Сахар, муку и пудру смешать в миксере при помощи лопатки, добавить ваниль и кубики холодного сливочного масла, перемешивать до образования однородных комочков.
- Выпекать в форме при 170°С.

Мусс из белого шоколада
- Молоко довести до кипения с ванилью и корицей, настоять, процедить.

- На предварительно растопленный шоколад вылить горячее молоко, сделать ганаш, затем добавить размоченный желатин.
- Охладить до 45°С и аккуратно ввести взбитые сливки.

Кули вишневые
- Вишню порезать, подогреть до 80°С в сотейнике, добавить пектин, смешанный с сахаром, проварить, затем разлить в силиконовые формочки и дать застыть.

Соус вишневый
- Вишню нагреть в сотейнике, добавить корицу, слить сок, положить пектин, перемешанный с сахаром, проварить.
- Охладить.
- Добавить свежее яблоко, нарезанное с помощью круглой нуазетки.

Шеф-повар **Вера ХРОМОВА**

ЧИЗКЕЙК С СОУСОМ ИЗ КРАСНЫХ ЯГОД

ИНГРЕДИЕНТЫ, г

Яйцо (белок)	**150**	Мороженое фисташковое	**30**
Сахар	**335**	Малина	**15**
Яйцо (желток)	**150**	Цукаты апельсиновые	**5**
Мука	**112**	Декорация карамельная	**1 шт.**
Пудра сахарная	**25**	Соус из красных ягод	**20**
Сыр «Филадельфия»	**600**		
Творог	**300**	**Соус из красных ягод**	
Сметана	**150**	Малина с/м	**200**
Сливки 33%	**40**	Клубника с/м	**250**
Яйцо	**5 шт.**	Вишня	**150**
Крахмал	**70**	Глюкоза	**50**
Вода	**30**	Сахар	**120**
Желатин листовой	**2 шт.**	Пектин	**10**
Сливки 35% взбитые	**300**	Сок лимонный	**15**

КАК ГОТОВИТЬ

- Приготовить бисквит:
  — белки взбить с сахаром (125 г) до устойчивой пены, соединить с желтками (100 г) и мукой, вылить слоем 2 см на силиконовый коврик, посыпать сахарной пудрой;
  — выпекать 15 минут при 175°С.
- Приготовить сырную массу: перемешать сыр «Филадельфия» (350 г), сахар (120 г), творог, сметану, сливки, яйца и крахмал в миксере лопаткой.
- На готовый бисквит вылить сырную массу.
- Выпекать при 90°С в течение 1 часа.
- Охладить.
- Приготовить мусс из сыра «Филадельфия»: из воды, сахара (90 г) и желтков (50 г) заварить сабайон, добавить желатин, затем — сыр «Филадельфия» (250 г) и взбитые сливки.

- Приготовить чизкейк: на охлажденный бисквит вылить мусс из сыра «Филадельфия», поместить в холодильник на 3 часа.
- Сверху поместить «клецку» фисташкового мороженого, малину и апельсиновые цукаты, украсить карамельной декорацией.
- Подавать с соусом из красных ягод.

Соус из красных ягод

- Ягоды проварить с глюкозой и сахаром (100 г), затем протереть через сито, довести до кипения, заварить с оставшимся сахаром (20 г) и пектином, добавить лимонный сок, охладить.

Шеф-повар
Вольфганг ВАГЕНЛАЙТНЕР

ЯГОДНЫЙ СУП С ДОБАВЛЕНИЕМ ПЕРЦА «СЕЗУАН» С КЛУБНИЧНЫМ ШЕРБЕТОМ, ПЕЧЕНЬЕ С БРЕНДИ И ФИСТАШКАМИ

ИНГРЕДИЕНТЫ, г

Ягодный суп

Сок апельсиновый	**234**
Вино красное (желательно Merlot)	**234**
Малина мороженая	**234**
Сахар	**70**
Корица	**5**
Гвоздика (пряность)	**0,5**
Перец «Сезуан»	**0,1**
Ваниль (стручок)	**1 шт.**
Лист лавровый	**2 шт.**
Крахмал	**20**
Вода	**10**

Печенье с бренди и фисташками

Глюкоза	**60**
Масло сливочное (растопленное)	**60**
Мука	**90**
Сахар	**90**
Фисташки	**10**

Клубничный шербет

Пюре клубничное	**450**
Сахар	**85**
Глюкоза	**50**
Сок лимонный	**13,5**

Декор

Ягоды свежие (клубника, голубика, малина, ежевика)	**30**
Трубочка из белого и черного шоколада	**1 шт.**
Декор карамельный	**2 шт.**

КАК ГОТОВИТЬ

Ягодный суп

- Смешать апельсиновый сок, красное вино, мороженую малину, сахар, корицу, гвоздику, перец «Сезуан», ваниль, добавить лавровый лист, проварить на медленном огне в течение 30 минут. Крахмал взбить с холодной водой, добавить в ягодный суп. После этого проварить приготовленную смесь на медленном огне в течение 10 минут.

Печенье с бренди и фисташками

- Смешать глюкозу, растопленное сливочное масло, муку, сахар до образования вязкой массы.
- Раскатать тесто и затем сделать полоски (1 полоска — 50 г).

- Выпекать в духовке при температуре 170°С. Через 10 минут сверху посыпать фисташки, после этого выпекать еще в течение 5 минут, пока тесто не зарумянится.

Клубничный шербет

- Смешать клубничное пюре, сахар, глюкозу, лимонный сок и проварить. Образовавшуюся смесь поставить в холодильник. Затем приготовить шербет в мороженице.

Декор

- Разложить приготовленные компоненты на тарелке. Украсить свежими ягодами, трубочкой из шоколада, карамельным декором.

Шеф-повар **Гийом ЖОЛИ**

«НАПОЛЕОН» С МАЛИНОЙ

ИНГРЕДИЕНТЫ, г

Тесто слоеное (готовое)	30
Пудра сахарная	5
Мусс малиновый	45
Малина	20+35
Соус малиновый	10

Малиновый мусс

Сливки 33%	333
Малина	333
Крем заварной «Постьер»	333

Заварной крем «Постьер»

Мука	200
Яйцо	6 шт.
Яйцо (желток)	2 шт.

Сахар	200
Молоко	1000

Малиновый соус

Вино «Русская лоза» красное	1512
Палочки корицы	6
Бадьян	4
Ваниль «Бурбон» (стручки)	12
Кориандр	10
Можжевельник	15
Лимон (цедра)	20
Апельсин (цедра)	20
Малина свежемороженая	751
Сахар	151

КАК ГОТОВИТЬ

- Приготовить пластины из выпеченного слоеного теста (по 10 г). Пластины посыпать сахарной пудрой и отколеровать при помощи горелки до образования золотистого цвета.
- На блюдо отсадить малиновый мусс и сверху уложить первую пластину слоеного теста. В середину пластины отсадить полоску мусса и по краям выложить свежую малину. Сверху положить вторую пластину — все повторить, сверху положить третью пластину.
- Тарелку декорировать малиновым соусом и свежей малиной.

Малиновый мусс

- Сливки взбить с малиной и соединить с заварным кремом.

Заварной крем «Постьер»

- Все, кроме молока, перемешать, добавить молоко и заварить на водяной бане до густого состояния.

Малиновый соус

- Красное вино, корицу, бадьян, ваниль, кориандр, можжевельник, цедру лимона и апельсина соединить и уварить до половины всей массы. Процедить, добавить свежемороженую малину, сахар и уварить до загустения, пропустить через сито. Остудить.

Шеф-повар
Елена КОЖУХОВА

КАННЕЛЛОНИ С МАЛИНОЙ

ИНГРЕДИЕНТЫ, г

Клубника	70	**Крем заварной**	
Соус «Манго»	10	Молоко 3,5%	200
Каннеллони	12	Сливки	600
Малина	15	Мука в/с	100
Крем заварной	10	Сахар	100
Фисташки рубленые	2	Ванилин	2
Соус малиновый	30		
Соус «Корица»	2	**Соус «Манго»**	
		Сок апельсиновый	100
Соус малиновый		Сок манго свежевыжатый	1000
Малина свежемороженая	100	Сахар	35
Сахар	50	Имбирь (корень)	6
		Крахмал	8
Каннеллони			
Мука «Бинекс»	100		
Кунжут	50		

КАК ГОТОВИТЬ

- Клубнику нарезать веером, полить соусом «Манго», выложить сверху каннеллони с малиной и заварным кремом, украсить рублеными фисташками. Декорировать соусами (малиновым и «Корица»).

Соус малиновый

- Малину разморозить, добавить сахар, прокипятить и процедить.

Каннеллони

- Муку «Бинекс» смешать с кунжутом, выложить на силиконовый лист, выпечь и в горячем виде свернуть трубочки. Остудить.

Крем заварной

- Молоко смешать со сливками и довести до кипения, добавить муку, сахар, ванилин, проварить до загустения. Остудить и взбить до однородной массы. Кремом заполнить каннеллони.

Соус «Манго»

- Соки (апельсиновый и манго) смешать с сахаром, добавить рубленый корень имбиря, настоять, довести до кипения, затянуть крахмалом, процедить. Остудить.

Шеф-повар **Елена КОЖУХОВА**

ФРУКТОВЫЕ РОЛЛЫ

ИНГРЕДИЕНТЫ, г

Сорбе «Коктейль
из тропических фруктов»

Бананы	125
Сахар	75
Сироп глюкозы	50
Вода	100
Пюре из маракуйи	60
Пюре из манго	125
Пюре из личи (замороженное)	125

Соус «Банан-маракуйя»

Бананы	125
Фреш лимонный	100
Пюре из маракуйи	25
Маракуйя	35
Сироп сахарный	75

Фруктовый салатик

Ананасы	100
Киви	60
Груши	120
Малина	30
Клубника	45
Бананы	104
Сироп сахарный	300
Желатин	6

Фруктовые роллы

Ананасы	100
Фруктовый салат	50

Сервировка

Ролл фруктовый	150
Соус «Банан-маракуйя»	15
Сорбе «Коктейль из тропических фруктов»	30

КАК ГОТОВИТЬ

Сорбе «Коктейль из тропических фруктов»

- Очищенные бананы измельчить в пюре. Из сахара, сиропа глюкозы и воды сварить сироп. Пюре смешать с пюре из маракуйи, манго, личи и соединить с сиропом, вылить в машинку для мороженого и заморозить.

Соус «Банан-маракуйя»

- Бананы очистить, измельчить в пюре, добавить лимонный фреш, пюре из маракуйи, маракуйю свежую (разрезать пополам, вынуть мякоть) и сахарный сироп. Перемешать.

Фруктовый салатик

- Фрукты и ягоды очистить и нарезать мелкими кубиками, залить сахарным сиропом с желатином, выложить на сито и процедить.

Фруктовые роллы

- Тонко нарезать ананасы на слайсере, бланшировать в кипящей подслащенной воде (на 0,5 л воды 100 г сахара). Остудить.
- На тонкую пищевую пленку выложить ананасы, сверху — фруктовый салатик, скрутить роллы.

Сервировка

- Перед подачей роллы разрезать на шесть частей, освободить от пленки, выложить на тарелку, отдельно подать соус «Банан-маракуйя» и сорбе «Коктейль из тропических фруктов».

Шеф-повар **Елена КОЖУХОВА**

ГОРЯЧИЙ ПИРОГ С ГРУШЕЙ

ИНГРЕДИЕНТЫ, г

Тарталетка с грушей	**135**
Сахарная пудра	**1**
Грушевое сорбе	**50**
Мята (листики)	**1**
Карамельный декор	**2**
Чипсы грушевые	**3**

Тарталетка с грушей

Тесто слоеное	**50**
Крем заварной с миндальными орехами	**50**
Груша свежая	**150**

КАК ГОТОВИТЬ

- Тарталетку выложить на тарелку, посыпать сахарной пудрой. В центр тарталетки положить грушевое сорбе, украсить мятой, карамельным декором и чипсами из груши.

Тарталетка с грушей

- Слоеное тесто раскатать и вырезать круг. На слоеное тесто нанести заварной крем, перемешанный с миндальными орехами, и красиво уложить грушу, предварительно очищенную от кожуры и сердцевины, нарезанную кружками на слайсере. Выпекать при температуре 200°C 20 минут.

Чипсы из груши

- Грушу разрезать пополам, нарезать тонко на слайсере и высушить в духовке при температуре 80—100°C до хрустящего состояния.

Шеф-повар
Елена КОЖУХОВА

КАРПАЧЧО ИЗ ИНЖИРА

ИНГРЕДИЕНТЫ, г

Инжир	40
Клубника свежая	40
Малина	30
Соус «Сабайон»	15
Ежевика	5
Голубика	4
Мята (листики)	1
Соус из лайма	10

Соус из лайма

Лайм	23
Сахарный сироп	10
Крахмал	1

Соус «Сабайон»

Сахар	60
Яйцо (желток)	2 шт.
Вино сухое белое	70

КАК ГОТОВИТЬ

- Инжир тонко нарезать на слайсере кружками, уложить на тарелку. Клубнику нарезать кубиками, малину нарезать, перемешать и выложить через формочку в центр инжира в виде башенки, сверху полить соусом «Сабайон», украсить ягодами и мятой. Тарелку декорировать соусом из лайма.

Соус из лайма

- Из лайма выжать сок, добавить сахарный сироп. Затянуть крахмалом.

Соус «Сабайон»

- На водяной бане взбить сахар, желтки и белое сухое вино до пышной массы.

Шеф-повар
Дольф МИХЕЛЬ

ГРУШЕВЫЙ ШТРУДЕЛЬ СО СЛИВОВЫМ СОУСОМ И КОРИЧНЫМ МОРОЖЕНЫМ

ИНГРЕДИЕНТЫ, г

Тесто

Мука	300
Масло растительное	30
Соль	3
Вода	150

Начинка

• Груши	600
Сок лимонный	1/2 лимона
• Изюм	50
• Миндаль	30
Вильямин (грушевая настойка)	40
• Сахар	100
Корица	1
• Панировочная мука	30
• Масло растительное	10

Сливовый соус

Сливы (очищенные и разрезанные пополам)	200
Пудра сахарная	100
Вино красное	150
Корица	1 палочка

Коричное мороженое

Молоко	200
Сливки	30
Порошок корицы	4
Яйцо (желток)	5 шт.
Сахар коричневый	80

Сервировка

Консервированные груши	10 шт.
Пудра сахарная	5
Коржи бисквитные	10 шт.
Мороженое коричное	70
Соус сливовый	40
Стружка шоколадная	3
Мята (листики)	3

КАК ГОТОВИТЬ

• Тесто раскатать до прямоугольника и растягивать из середины так, чтобы оно просвечивало. Переложить на посыпанный мукой льняной платок. Распределить по тесту равномерно начинку и оставить 3 см от края свободными, промазать топленым маслом. С помощью платка скатать штрудель. На противень, покрытый пергаментом и обмазанный маслом, выложить полуфабрикат штруделя и выпекать в разогретой до температуры 190°С духовке примерно 30 минут.

Тесто

• Замесить муку, масло, соль, воду. Накрыть и оставить при комнатной температуре на 1 час.

Начинка

• Почистить груши, нарезать тонкими дольками, перемешать с остальными ингредиентами.

Сливовый соус

• Сварить ингредиенты, вынуть палочку корицы, пробить все блендером, процедить через сито.

Коричное мороженое

• Вскипятить молоко, сливки и корицу. Взбить желтки и сахар до пены. Кипящую молочную смесь, непрерывно помешивая, добавить к желткам и хорошо перемешать. Остудить до температуры 10°С. Оставить на 2 часа при комнатной температуре и затем заморозить.

Сервировка

- Консервированные груши 4 часа вымачивать в вильямине и надрезать дольками.
- Теплый штрудель обвалять в сахарной пудре, разрезать на куски и выложить на тарелку. По-

местить на бисквитный корж коричное мороженое и положить на тарелку. Другой корж украсить консервированной грушей, тарелку декорировать сливовым соусом, сахарной пудрой, шоколадной стружкой и листиками мяты.

Шеф-повар **Ричард НИТ**

ПАРФЕ ИЗ ДЫНИ И ЛАЙМА

ИНГРЕДИЕНТЫ, г

Парфе из дыни и лайма (заготовка)	**165**
Мороженое	**33**
Дыня кружками в сиропе с мятой	**25**
Зелень (мята)	**1**

Дыня кружками в сиропе с мятой

Дыня	**95**
Сахар	**167**
Вода	**167**
Мята	**5**

Парфе из дыни и лайма (заготовка)

Дыня	**110**
Крем яблочно-сливочный	**55**

Крем яблочно-сливочный

Смесь из яйца с сахарным сиропом	**38**
Яблочное пюре с лаймом	**26**
Сливки взбитые	**42**

Смесь из яйца с сахарным сиропом

Яйцо	**65**
Сахар	**45**
Вода	**45**

Яблочное пюре с лаймом

Яблоки	**200**
Лайм	**85**
Сахар	**34**

КАК ГОТОВИТЬ

- Заготовку парфе из дыни и лайма вынуть из формы, обрезать низ для устойчивости и поставить в центр тарелки. Сверху на крем выложить шарик мороженого. Вокруг уложить кружки дыни в сиропе. Украсить мятой, нарезанной тонкой соломкой, и листиками.

Дыня кружками в сиропе с мятой

- Из очищенной дыни без сердцевины на слайсере вырезать кружки толщиной примерно 2 мм и диаметром 2 см. Хранить кружки в лотке, залитыми сиропом из сахара и воды, с мелкорезаной мятой при температуре 2–4°C.

Парфе из дыни и лайма

- Из дыни и яблочно-сливочного крема сделать парфе.

Крем яблочно-сливочный

- Смешать смесь из яйца с сахарным сиропом с яблочным пюре с лаймом и со взбитыми сливками. Хранить при температуре 2–4°C.

Смесь из яйца с сахарным сиропом

- Яйца взбить, сахар размешать с водой и довести до кипения (температура 121°C). Медленно вылить во взбитые яйца. Готовую смесь хорошо взбить.

Яблочное пюре с лаймом

- У яблок вынуть сердцевину, мелко нарезать, смешать с цедрой, соком лайма и сахаром. Все проварить до пюреобразного состояния. Переложить в блендер, размельчить и протереть через сито.

Шеф-повара
**Пьер Луиджи ТРОТТА и
Жан Люк ВАССЕР**

ЖЕЛЕ ИЗ ШАМПАНСКОГО С МЯТОЙ И АБРИКОСОВЫМ ПЮРЕ

ИНГРЕДИЕНТЫ, г

Шампанское	**500**
Вода	**200**
Сахар	**150**
Мята свежая	**1**
Желатин	**3**
Пюре абрикосовое	**200**

КАК ГОТОВИТЬ

- Довести шампанское до кипения, добавить воду, сахар (100 г) и мяту.
- Процедить, ввести растопленный желатин.
- Наполовину заполнить стеклянные бутылочки.
- Проварить абрикосовое пюре с сахаром (50 г) и охладить.
- Налить в бутылочку второй слой — из абрикосового пюре.
- Подавать охлажденным.

Идея такой подачи шампанского родилась при посещении магазина, где мы увидели бутылочки с весьма креативным дизайном. С игристым вином гармоничную пару составил абрикос.

Шеф-повара
Пьер Луиджи ТРОТТА и
Жан Люк ВАССЕР

МОЛОЧНЫЙ ШОКОЛАД С ПЮРЕ ИЗ МАРАКУЙИ В ШОКОЛАДНОМ ШАРИКЕ

ИНГРЕДИЕНТЫ, г

Пюре из маракуйи	240
Тримолин	65
Шоколад молочный	660
Масло сливочное	155
Шарики шоколадные	100
Ананас	250

КАК ГОТОВИТЬ

- Вскипятить пюре из маракуйи с тримолином и вылить его в расплавленный шоколад.
- Когда смесь прогреется до 34°С, добавить мелко нарезанное сливочное масло и хорошо перемешать.
- Наполнить смесью шоколадные шарики и поставить в холодильник.
- Вырезать из ананаса кружок размером с небольшое блюдце и закрепить на нем шоколадный шарик.

Идею этого десерта мы привезли из Сингапура. Именно там делают лакомства, сочетающие в себе молочный шоколад с фруктовыми пюре. А вот шоколадные шарики, закрепленные на ананасе, — это уже наше изобретение. Так десерт выглядит гораздо интереснее.

Шеф-повар
Эрик МОПЕН

ДЕСЕРТНОЕ АССОРТИ

ИНГРЕДИЕНТЫ, г

Тарталетки ягодные	**25**
Корзиночки ягодные	
с муссом из сыра «Филадельфия»	**37**
Восточные сладости	**20**

Тарталетки ягодные

Масло сливочное	**500**
Пудра сахарная	**500**
Сахар	**200**
Маргарин	**50**
Яйцо	**4 шт.**
Мука пшеничная	**1000**
Разрыхлитель	**10**
Шоколад черный	**1**
Крем заварной	**7**
Ягоды (клубника, голубика, малина)	**9**
Гель кондитерский	**2**

Корзиночки ягодные
с муссом из сыра «Филадельфия»

Тесто фило	**125**
Масло сливочное	**50**
Сыр «Филадельфия»	**150**
Сливки 38%	**40**
Яйцо	**1 шт.**
Сок лимона	**25**
Крем заварной	**40**
Сахар	**20**
Соль	**1**
Смородина красная	**48**
Киви	**48**
Голубика	**14**
Гель кондитерский	**10**

Восточные сладости

Мед	**70**
Сахар	**171**
Масло сливочное	**51**
Сливки 38%	**73**
Фундук	**140**
Миндаль	**100**
Миндальные лепестки	**140**
Изюм	**156**
Тесто слоеное	**170**

КАК ГОТОВИТЬ

- Разложить на блюде десертное ассорти: тарталетки ягодные, корзиночки ягодные с муссом из сыра «Филадельфия», восточные сладости.

Тарталетки ягодные

- Приготовить песочное тесто:
  — размягченное сливочное масло взбить с сахарной пудрой, сахаром, маргарином, добавить яйца по 1 шт.;
  — муку смешать с разрыхлителем и вмешать в масляную массу. Замешивать недолго, иначе тесто затянется.
- Тесто разложить по формочкам (7 г на порцию), выпекать 10 минут при 230°С.
- Охладить.
- Смазать растопленным черным шоколадом.
- Сверху выложить заварной крем (можно взбитые сливки).

- Украсить свежими ягодами.
- Покрыть кондитерским гелем.

Корзиночки ягодные с муссом из сыра «Филадельфия»

- Соединить три слоя теста фило, промазав между слоями сливочным маслом. Полученный пласт разделить на 12 частей. Уложить в силиконовые формочки.
- Приготовить мусс: сыр «Филадельфия», сливки, яйцо, сок лимона, крем заварной, сахар, соль соединить в миксере с насадкой в виде лопатки.
- Разложить мусс по формочкам на тесто и выпекать 25 минут при 180°С.
- Охладить. Украсить ягодами и кондитерским гелем.

Восточные сладости

- Мед, сахар и сливочное масло растопить, медленно влить сливки. Добавить смесь фундука, миндаля, миндальных лепестков и изюма.
- Тесто раскатать на противне толщиной 2 мм и запечь при 250°C 12—15 минут до полуготовности.
- Медово-ореховую массу выложить на тесто, равномерно распределить и выпечь до готовности при температуре 220°C 10 минут.
- Охладить и нарезать кубиками.

Яркие, красочные, с сочными фруктами и нежным заварным кремом, эти минидесерты окажутся кстати на любом столе.

Популярное издание

ГОТОВИМ БЛЮДА ИЗ ФРУКТОВ И ЯГОД

Генеральный директор **Дмитрий** ОДИНЦОВ
Дизайн **Виорел** СТРИШКА
Верстка **Ольга** БАШИЛОВА
Фотограф **Юрий** ЛУКИН

Рецепты публикуются на некоммерческой основе.

Подписано в печать 02.08.11. Формат 60х90 $^1/_8$.
Усл. печ. л. 12,0. Тираж 5 000 экз. Заказ № 6936
Общероссийский классификатор продукции ОК-005-93, том 2;
953004 — научная и производственная литература

ООО «Издательство Астрель»
129085, г. Москва, пр-д Ольминского, д. 3а

ООО «Издательство АСТ»
141100, Россия, Московская область, г. Щелково, ул. Заречная, д. 96
Наши электронные адреса:
WWW.AST.RU E-mail: astpub@aha.ru

ООО Издательский дом «Ресторанные ведомости»
115093, г. Москва, ул. Дубининская, 90
Тел.: (495) 921-3625
E-mail: info@restoved.ru

Отпечатано с электронных носителей издательства.
ОАО «Тверской полиграфический комбинат». 170024, г. Тверь, пр-т Ленина, 5.
Телефон: (4822) 44-52-03, 44-50-34, Телефон/факс: (4822) 44-42-15.
Home page – www.tverpk.ru Электронная почта (E-mail) sales@tverpk.ru

Антонио Баратто — до недавнего времени бессменный шеф-повар знаменитого ресторана Sirena (Москва). Работал в ресторанах George's, Vinera Tre Biccheri Ostia и La Tacita Roccantica Country Club • *стр. 4*

Денис Сидоркин — шеф-повар ресторана «Дилижанс» (Россия). Обладатель первого приза на конкурсе французской кухни в Москве (1996 г.), степени шевалье Ордена магистров французской гастрономии (1997 г.), лауреат Открытого чемпионата России по поварскому искусству (2004 г.) • *стр. 6*

Роман Сайфур работал шеф-поваром ресторана «Ранчо» • *стр. 8, 9*

Милле Микич — шеф-повар клуба Night Flight (Россия) • *стр. 10*

Дольф Михель работал шеф-поваром ресторана Café des Artistes • *стр. 11, 88*

Тома Блюи работал шеф-поваром клуба-ресторана The Most • *стр. 12*

Александр Пинчук работал шеф-поваром клуба Bonnie&Clyde • *стр. 14*

Мирко Дзаго — шеф-повар ресторана «Сыр». Член Национальной гильдии шеф-поваров, член жюри российского отборочного конкурса Bocuse d'Or-2005, лауреат премии «Золотой журавль». Представлял итальянскую кухню в резиденции Президента России • *стр. 16, 18*

Чарли Эйрд — шеф-повар отеля Courtyard by Marriott (Россия) • *стр. 20*

Джонатан Кертис — шеф-повар ресторана Mr. Lee • *стр. 22*

Владимир Мухин — шеф-повар ресторанов-кафе «Булошная» и «Житная, 10», обладатель диплома Academie Francaise de Art Gastronomique, золотой призер Международного Кулинарного Кубка Кремля, член Национальной гильдии шеф-поваров и Московской ассоциации кулинаров • *стр. 24*

Денис Перевоз — шеф-повар кафе «Чехов» (Россия). Член Национальной гильдии шеф-поваров. Стажировался в известных ресторанах Италии и Франции, работал в московских ресторанах «Шейх», «Готье Нищий», «Грандъ-опера», «Галерея», сети ресторанов ОАО «Газпром» • *стр. 26*

Никола Канути — шеф-повар ресторана l'Albero (Россия). Работал поваром в ресторанах легендарного Алена Дюкасса — Spoon, Spoon Byblos и др. • *стр. 28, 50*

Андрей Тысячников работал шеф-поваром ресторана «Джу-джу» (Россия), в ресторанах «Пират», Red hills, «Греческая смоковница», Concorde, «Бисквит». Прошел стажировку в одном из «мишленовских» ресторанов Испании • *стр. 30*

Антон Семенкин работал шеф-поваром ресторана La Casa • *стр. 32*

Нико Джованоли работал шеф-поваром ресторанов отеля «Балчуг Кемпински Москва», в немецком ресторане Rodenberg, в швейцарском Flueela Davos, а также в Palace Hotel Luzern • *стр. 34, 56*

Юнас Грип — шеф-повар ресторана «Скандинавия» • *стр. 36*

Эльшан Шафиев — шеф-повар ресторана Барashka • *стр. 38, 40*

Сергей Стахов работал шеф-поваром гостиницы «Золотое кольцо» • *стр. 42*